通勤大学MBA2

マーケティング〔新版〕

明治大学専門職大学院 グローバル・ビジネス研究科教授
青井倫一＝監修 グローバルタスクフォース＝編著
Michikazu Aoi *GLOBAL TASKFORCE K.K.*

JN237434

通勤大学文庫
STUDY WHILE COMMUTING
総合法令出版

新版の出版に際して

■なぜＭＢＡにおけるマーケティングを学ぶのか　～世界のビジネスパーソンの基礎～

本書で取り上げるテーマである「マーケティング」は、ＭＢＡコースの代表的な必須科目であり、広くグローバルビジネスの世界においても、共通言語となっています。マーケティングは、何も営業本部や広報、販売促進部の担当者だけに必要なものではなく、財務部から研究開発部、そして経営企画部の担当者がこれらの共通言語を体系的に学ぶために必要なものです。それによって、営業部や販売促進部の部署や立場の人と共通の土俵で議論や意思決定ができることになります。たとえば、「商品を売るために多くの予算を取りたい営業・マーケティング部」と「経費圧縮に加え残りの予算の適正配分を行う必要がある財務部」の間の議論がしばしば噛み合わず、社内トラブルの元となるのは、お互いの前提と状況を理解することなく、感情的な議論を行うためです。現実的な問題に対する共通の解を得るためには、ビジネス上における共通の認識と言語を持つことがスタート地点となります。

■本書の目的と対象者

本書を読んでいただく対象となる方は、どの世界でも通用する生きたビジネスの法則と理論を結びつけて、自分自身の市場価値向上につなげることを目指すビジネスパーソンです。実際、前向きなビジネスパーソンほど時間がなく、通勤時間が唯一の自由時間である場合も多いと言えますが、電車の中で読むのに適したサイズの有用なビジネス書は数が限られています。本書は、今まで分厚いビジネス書を買ってはみたが、時間がないために最初の1章しか読まずに本棚にしまっていた方が、通勤時間や待ち合わせ時間などの細切れ時間を利用できることを前提に、わかりやすく、しかもコンパクトに書かれています。

また、この本を読むことにより、読者はビジネスにおける最も基本かつ重要なコンセプトである「マーケティング」を体系的に理解することができます。たとえば、マーケティングリサーチを専門とする部署の人が顧客満足度調査の技術的な作業だけを実施していても意味がありません。会社の製品、価格、プロモーション、チャネルのそれぞれの側面、及びそれらをつかさどる会社のマーケティング政策の全体を理解せずして顧客満足度調査の調査書の設計もできません。つまり、個々のマーケティングの中の個々の知識だけでなく、全体を統合して「自分の担当部署ではどう実行すべきか」という思考をすることができきるようになります。こうして実践において直面する複雑で複合的な問題を解決するための出発点に立った後は、ビジネスの現場において訓練を積み重ね、これらの知識や論理的思考の「スキル化」を目指した能力の向上に努めてください。

■本書の構成

本書は以下のとおり構成されています。まず第1章では、全体像を示す意味で「マーケティング」の概要及びそのプロセスを説明します。第2章では、そのプロセスの最初のステップとして現在企業が直面する総合的な状況を把握するための「環境分析」の概要とその実施ステップを扱います。第3章では、競争優位性を構築するための市場のセグメンテーション、ターゲティング、そしてポジショニングからなる「ターゲットマーケティング」を扱います。第4章では、製品（Product）、価格（Price）プロモーション（Promotion）、チャネル（Place）といったいわゆるマーケティングの重要なコンセプトである4つの要素（4P）の組み合わせ（マーケティングミックス）について扱います。第5章では、時代の要請でその重要度が増しつつあるマーケティングトピックの一つ、「リレーションシップマーケティング」について考えていきます。

見開き2ページでひとつのテーマが完結するようまとめてありますので、どの章から始められても理解ができるようにレイアウトされています。しかし、やはりMBAを学ぶ最も重要な意義は「体系的」に理解することにあるので、虫食いにならないよう、順番にマスターしていくことができると最大の学習効果をあげることができます。

■新版の特徴

「通勤大学MBA」シリーズは、当初よりポケットサイズで「見開き1トピック2ページ」「全トピック図表付」、そして冗長説明を徹底的に省いた800字以内の「簡潔説明」が特徴でしたが、本書は2002年初版の新版として、以下の付加価値づけを行いました。

① 理解を早めたり深めるために各トピック冒頭に「一言ポイント」を新規追加
② 理論を理解するための事例コラムの新規追加
③ 新章として「ネット時代におけるマーケティング」の追加

■謝辞

本書の出版にあたり、様々な方々にご協力をいただきました。まず、監修者として貴重なアドバイスを頂戴した慶應ビジネススクールで校長を含め長い間活躍され、現在は明治大学専門職大学院グローバル・ビジネス研究科に移られた青井倫一教授に深くお礼を申し上げます。そして総合法令出版の田所陽一氏に感謝の意を表します。

通勤大学MBA2

マーケティング〔新版〕

■目次■

新版の出版に際して

第1章　経営の中のマーケティング

第1節　マーケティングの定義

第2章　マーケティング環境分析の実施

第1節　マーケティング環境分析

第4章　マーケティングミックスの構築

第5節 プロモーション政策

第5章　顧客維持のマーケティング戦略

本文組版・図表作成　横内俊彦

第1章

経営の中のマーケティング

第1章「経営の中でのマーケティング」では、マーケティングの全体像を把握するため、概要及びそのプロセスを説明します。

第1節「マーケティングの定義」で、「マーケティングとは？」という本書に関する前提を学び、続いてマーケティングの基本的コンセプトについて見ていきます。

第2節「企業におけるマーケティングの役割」では、ビジネスの中でいかにマーケティングの役割が時代とともに変わってきているか、そしてビジネスの一機能の中での「マーケティング戦略」と、全社的な役割を果たす「戦略的マーケティング」との違いについて扱います。

第3節「マーケティング戦略策定実施のプロセス」では、実際に企業内でマーケティング戦略が策定されていく流れを理解します。

第1節　マーケティングの定義

1-1 マーケティングとは

【ポイント!】マーケティングとは市場「適合」。独りよがりに良いものを提供すればよい市場「流通」ではない。最適な製品を提案することで顧客のニーズと適合させること!


モノが売れない今の時代こそ、すべてのビジネスパーソンにマーケティングの発想と知識が必要不可欠です。しかし、そもそも「マーケティング」とは何でしょうか?

アメリカ・マーケティング協会の最新（2007年）の定義によると、マーケティングとは「顧客、依頼人、パートナー、社会全体にとって価値のある提供物を創造・伝達・配達・交換するための活動であり、一連の制度、そしてプロセス」とされています。

ここで重要なキーワードは、「**ニーズ**」「**ウォンツ**」「**価値**」「**交換**」です。「ニーズ」と

マーケティングとは

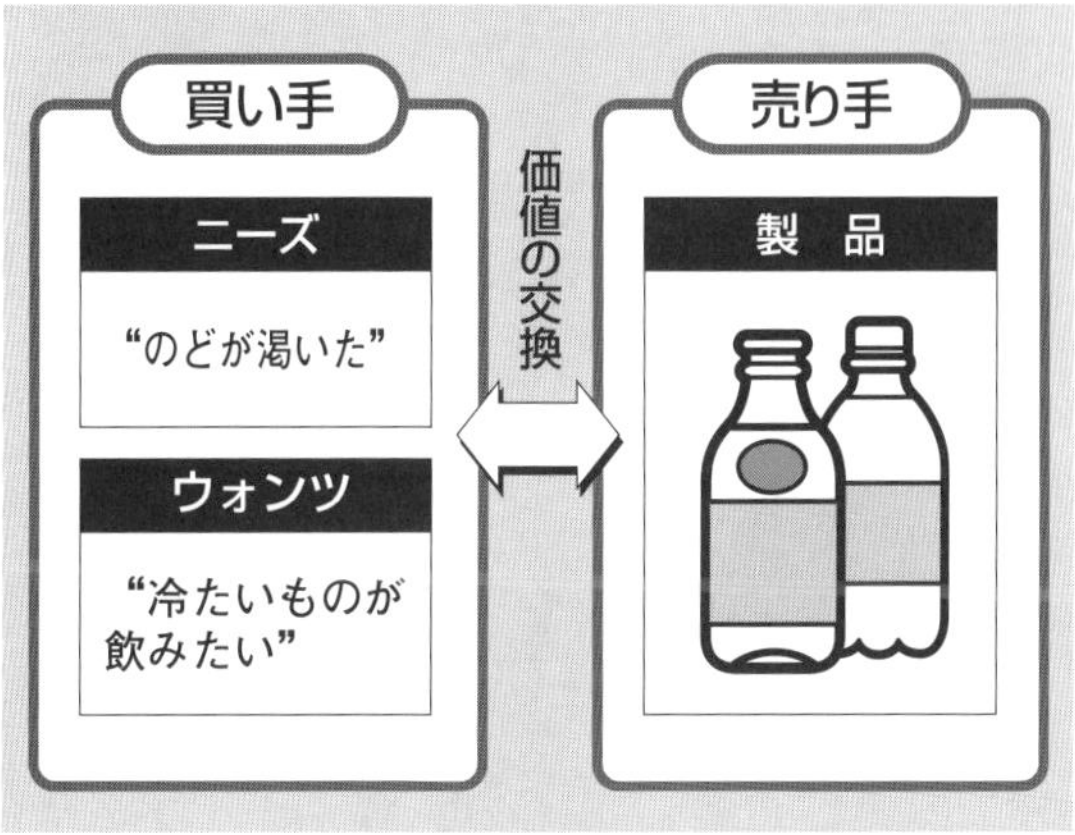

は、〝のどが渇いた〟といった充足状況が奪われている状態をいい、「ウォンツ」とは〝冷たいものが飲みたい〟というそのニーズを満たす（特定の）ものがほしいという欲望をいいます。フィリップ・コトラーは、このニーズとウォンツを満たす「特定のものやサービス」が「製品」であると説明し、最終的には買い手が提供する「**貨幣的な価値**」に対し、売り手は製品を通して「**満足という価値**」を提供すること、つまり価値の交換を経てはじめてマーケティングが成立します。

つまり、ニーズは満たすがとても顧客が買えないような価格を設定したり、独りよがりで必要のない高機能を押し付けるような姿勢は、マーケティング無視と言えるのです。

1-2 マーケティングコンセプトの変遷

【ポイント!】良いものを作ってさえいれば売れるのならマーケティングはいらない。モノが不足し作れば売れた時代と、モノがあふれ充足している現代では、対象となる顧客の状態や消費動向によってマーケティングのあるべき姿もまったく変わってくる。

需要が供給を上回るような状況では、大量生産と流通施策を通して少品種の汎用品を効率的に送り届けることに集中すればよかったかもしれません。

ただし、ものが人々に浸透し個々の製品の差別化が困難になると、多品種少量生産の中でも、特定の対象者のニーズやウォンツを絞り込んで、より効果的な生産&マーケティング活動を行おうと考えるようになってきました。そして昨今では、単なる製品そのものの差別化のみならず、企業の社会的責任(CSR)として「**社会にとって良い製品を提供す**

マーケティングコンセプトの変遷

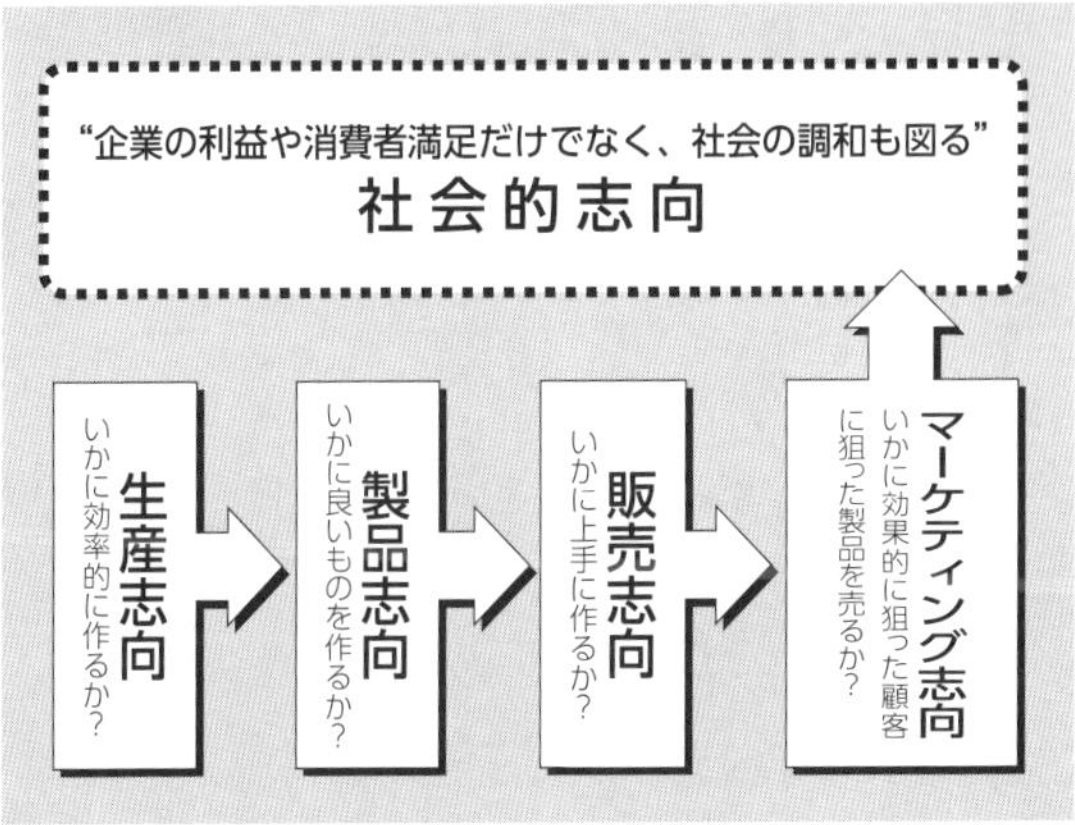

“企業の利益や消費者満足だけでなく、社会の調和も図る”
社会的志向
生産志向
いかに効率的に作るか？
製品志向
いかに良いものを作るか？
販売志向
いかに上手に作るか？
マーケティング志向
いかに効果的に狙った顧客に狙った製品を売るか？

る姿勢を企業が持ち合わせているか？」といった観点も要求されるようになってきました。

ちなみに、「販売」と「マーケティング」の違いは何処にあるのでしょうか。「販売」の考えの出発点は工場です。「製品」に注目し、売ることとプロモーションを手段に、売上数量拡大による利益獲得を目的としています。つまり、「いかに売るか」を考えます。それに対し、「マーケティング」の考えの出発点は市場です。「**顧客ニーズ**」に注目し、顧客満足による利益獲得を目的としています。つまり、「**いかに満足を与えるか**」を考えます。その満足の結果が持続的な面による販売につながるのです。

1-3 マーケティング戦略策定・実施のプロセス①

【ポイント!】「環境分析なくして戦略なし」。ターゲット市場の選定も競合との差別化も、掘り下げられた環境分析なき戦略は単なる「思いつき」と同等と心得よう。

マーケティング戦略を実際に計画・実施していく流れを見ていきましょう。

一般的なプロセスとしては、まず前提としての**①マーケティング環境を把握し**、その上で、**②標的市場（ターゲット）を選定し**、そこにどうアプローチしていくかという各マーケティング視点の統合、つまり**③マーケティング・ミックスの最適化**という手順を踏んでいきます。次項以降で1つずつ見ていきますが、ここではその概略を鳥瞰しましょう。

①マーケティング環境分析

マーケティング環境分析とは、「**企業が現在置かれている状況**」と、「**今後起こりうる環**

マーケティング戦略の一般的なプロセス

1 マーケティング環境分析

⇒立ち位置を把握する

↓

2 標的市場の選定

⇒狙いを絞り込んで差別化する

↓

3 マーケティングミックスの最適化

⇒実行のための戦術を組み合わせる

境変化」を分析する作業です。

環境には、自社を取り巻く「**外部環境**」と自社自身である「**内部環境**」があります。

外部環境は「市場」と「競合」に分けられ、内部環境は「自社」を指すので、代わりに3C（市場 customer、競合 competition、自社 company）と分けることもできます。その後、SWOT分析（後述）へと移ります。

すべての戦略は大前提としてこれらの環境の整理・分析から成り立っています。逆に言えば、これらの大前提を超具体的かつ裏づけを担保できない限り、会社の立てたマーケティング戦略そのものが意味のない作業となりかねません。文字通りすべての大前提となる分析です。

1-4 マーケティング戦略策定・実施のプロセス②

前項に続き、マーケティング戦略策定・実施のプロセスとしての②「ターゲット（標的市場）の選定」と③「マーケティング・ミックスの最適化」について説明します。

②標的市場（ターゲット）の選定

この段階では、環境分析で得られた情報をもとに、市場をどういった視点で細分化（どのようなニーズ・購買行動を持つ層などで区切るか）し、そこからどの細分化された部分（**セグメント**）を狙うかを決めます。たとえば、「可処分所得は大きいがまとまった時間が少ないＤＩＮＫＳ（夫婦共稼ぎ子供なし）向けに特化しよう」というのもその一例です。

ここでは選定したセグメントに対し、差別化の特徴を2軸で表した**ポジショニングマップ**等で競合相手より魅力的であることを示す必要もあります。「競合よりコスト競争力がないのに値引きで勝負しよう」ということのないように特殊機能やアフターサービスの徹底

マーケティング戦略策定プロセス

❶ マーケティング環境分析

●SWOT分析

❷ 標的市場の選定

●セグメンテーション ●ターゲティング
●ポジショニング

❸ マーケティングミックスの最適化

●製品政策 ●チャネル政策
●価格政策 ●プロモーション政策

度合をアピールする、といったものです。

③マーケティング・ミックスの最適化

選定された標的市場に、つまり〝マーケティング戦略〟の骨の部分を実現するために、様々な手段（**価格、製品、プロモーション、流通など**）を組み合わせていく戦術に当たる段階です。日用品などは差別化が困難な分、幅広い流通網と価格、そしてプロモーションがキーになりますが、高級ブランドなどでは流通網を絞り込み、サービスレベルやブランド価値を維持できる教育、プロモーション体制が重要となります。

次章以降では、このマーケティング戦略策定の順序に従って、それぞれのプロセスを詳述していきます。

第2章
マーケティング環境分析の実施

第2章「マーケティング環境分析の実施」では、マーケティングプロセスの最初のステップとして、現在企業が直面する総合的な状況を把握するための「環境分析」の概要とその実施ステップを扱います。

第1節「マーケティング環境分析」では、「顧客」「競合」「市場」といった外部環境から自社内を扱う内部環境までを精査し、その上で全体的な自社の健康診断といえる現状把握をＳＷＯＴ分析を通して理解します。また、現状把握をした上で、このＳＷＯＴを利用しいかに次のアクションを考えるか、という将来についての分析を加えます。

第2節「マーケティングリサーチ」では、状況の把握を具体的に、そして客観的に証明する重要なプロセスであるマーケティングリサーチについて、その手順及び概要、留意点について扱います。

第1節　マーケティング環境分析

1-1 環境分析の全体像

【ポイント!】環境分析の目的は事実を「整理」することではない。集めた事実から「どういったことが言えるか?」を主体的に導き出すことがゴールである

環境分析において、代表的な手法の1つに、「**SWOT分析**」があります。「SWOT分析」は、経営戦略策定時にも企業レベルでの経営環境分析としても使用されますが、マーケティング戦略においては事業レベルで競争分析を中心として行われます。

ここで、重要なポイントが2つあります。

まず、1つ目はSWOTの整理に際する事実の掘り下げです。よく見られるように「営業力は弱い」「製品は魅力」「技術力はある」といった表面的かつ抽象的な整理ではまったく意味がありません。強みを挙げるなら、「**どの製品**」の「**どの機能**」が「**どの競合**」に

SWOT分析

	内部環境	外部環境
プラス材料	強み（S）	機会（O）
マイナス材料	弱み（W）	脅威（T）

経営環境要素

外部	マクロ	人口統計学的環境、経済環境、技術環境、政治・法律環境、社会・文化環境
外部	ミクロ	顧客、競争業者、供給業者、中間媒介業者
内部	技術力、生産能力、企業文化、市場シェア、人材、資金力	

比べ、「**どの程度**」強いのか優れているのか（%？、円？）そして、それはなぜか？（例：希少資源に基づく材料の仕入先と独占契約を結んでいるから）という優位性の源泉までを含めて、「超」具体的に紐づけないと、実態はわかりません。

2つ目は、SWOTの目的についてです。SWOTは単に強み、弱み、機会、脅威を出すことが目的ではありません。整理したSWOTの情報を基に、自社のシナリオとして、「どういったことが考えられるのか？　また考える必要があるのか？」という問いに対する答えを出し、会社が重視する戦略に基づいた意思決定をするための材料を提供します。後の項で具体的に見ていきましょう。

1-2 外部環境　～マクロ環境～

【ポイント！】外部環境のマクロ分析は、将来の前提の「変化」に注目すべし！　たとえば、次世代高速モバイル通信の普及率が５％に満たなくても、成長率が２００％の場合、数年持たないうちにその環境が社会インフラの大前提になっているはず。

ここでは、まず、外部環境におけるマクロ環境を見ていきます。マクロ環境には、①人口統計学的環境、②経済環境、③技術環境、④政治・法律環境、⑤社会・文化環境、などが考えられます。以下、各要因が企業にどのような影響を及ぼし得るかを見ていきます。

①人口統計学的環境（例：少子高齢化）……高齢者を対象としている介護事業には機会を与えますが、逆に子供を対象とした教育事業には脅威をもたらすこととなります。

②経済環境（例：円高）……輸入企業には機会を与えますが、輸出企業には脅威をもたら

外部環境　～マクロ環境～

人口統計学的環境	少子高齢化の進展など
経済環境	円高、失業など
技術環境	技術革新など
政治・法律環境	規制緩和、政権交代など
社会・文化環境	共働き世帯の増加など

※マクロ分析として PEST フレームワークを使うこともあります
P（political changes）：政治的変化（規制等を含む）
E（economical changes）：経済的変化
S（social changes）：社会的変化
T（technological cahenge）：技術的変化

すことになります。

③**技術環境**（例：インターネットの普及）……ＩＴ化への対応に積極的な企業には様々な機会が生まれるが、ＩＴ化への投資に消極的な企業の場合、シェアが知らない間に減少していくという脅威をもたらし得ます。

④**政治・法律環境**（例：環境法）……環境コンサルタントなどは機会を得ることになりますが、今まで環境への対策をおろそかにしていた企業には脅威となりえます。

⑤**社会・文化環境**（例：共働き夫婦の増加）……共働き夫婦の増加は外食産業・コンビニエンスストアには機会を与えますが、営業時間が短い個人商店には脅威となりえます。

1-3 外部環境 ～顧客～

【ポイント！】顧客といっても「法人顧客」と「個人消費者」で大きく異なるが、個人消費者も様々な切り口によってその購買行動に至るプロセスに大きな違いがある！

次に、外部環境のうちのミクロ環境（顧客、競争業者、供給業者、中間媒介業者など）のうち、顧客をその基本的属性及び消費者行動という視点から分析します。

【基本的属性分析】

様々な特性を持つ一般消費者を、同質なものにセグメント化（グループ化）し、セグメント化した様々な市場の、どの市場が当該企業にとって、大きな影響を及ぼしうるかを考える必要があります。具体的な消費者のセグメント基準として、①**地理的基準**（エリア、人口密度、気候）、②**人口統計学的基準**（年齢、性別、家族構成、職業）、③**心理学的基準**

外部環境　～顧客～

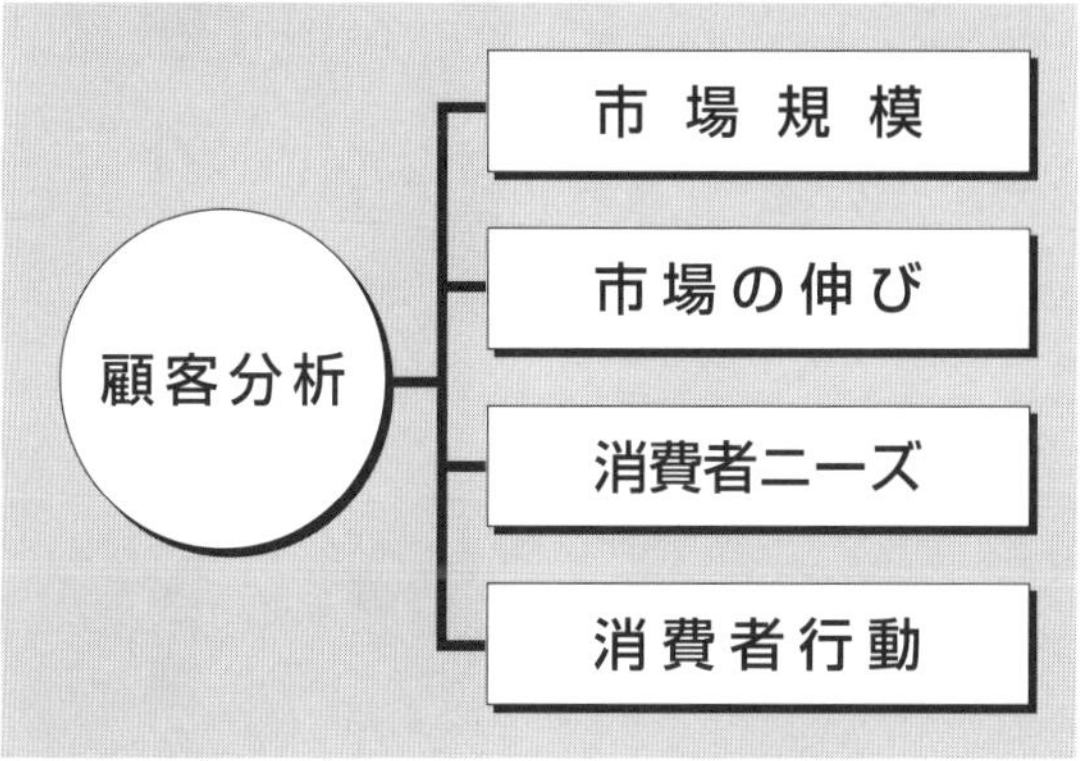

（社会階層、ライフスタイル、性格）、**④行動基準**（購買状況、使用頻度、使用者状態、ロイヤルティ）、**⑤ベネフィット基準**（経済性、品質、サービス）などが考えられます。

【消費者行動分析】

次に、顧客が商品やサービスを購買するプロセスから分析を行います。消費者は商品やサービスを購買する前に、①今何かが足りないと問題を認識します。次に、②その問題を解決する商品を探索します。そして、③探索した商品の中からどの商品が良いか評価を行います。④評価することで購買品を決定し、⑤最後に購買後の感情を持ちます。自社に影響を及ぼしている顧客が以上の5段階のうちどの段階であるかを分析する必要があります。

1-4 外部環境　～競合業者・供給業者・中間媒介業者～

【ポイント！】「競合＝既存の競合」のみではない。自社に影響を及ぼし得る対象は、既存の競合に加え、「潜在的な新規参入候補」や「代替品の取り扱い事業者」を含む。

次に、ミクロ環境における競争業者・供給業者・中間媒介業者について説明します。

【競争業者】

競争業者とは、市場を奪い合う相手のことであり、必ずしも顕在する相手だけとは限りません。ポーターによれば、企業の競争上の地位を決めるのは、①**既存の競争業者**、②**新規参入業者**、③**代替品**、④**供給業者**、⑤**買い手**の5つです。「買い手」である顧客も、「売り手」としての供給業者も、交渉力の大小により自社の獲得利益に影響を与えます。以下に述べる残り3つの競争業者を含んだ5つの競争要因を詳細に分析しなければなりません。

ファイブフォース分析(five forces analysis)

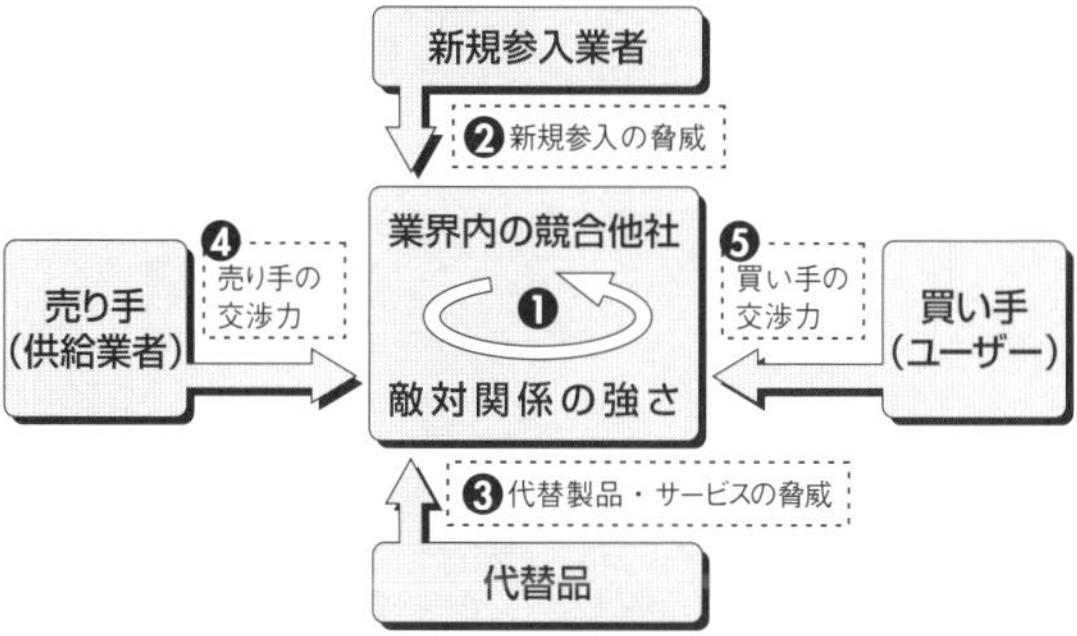

出所：ポーター「新訂 競争の戦略」ダイヤモンド社、1995年

「既存の競争業者」……同じ地域や業界で直接的に敵対する関係の業者

「新規参入業者」（潜在的参入業者）……同じ地域や業界へ新規に参入する恐れのある業者

「代替品取り扱い業者」……代替的な製品を取扱う業者とは、実際に以前から存在する企業であるが、取り扱う製品は同一なものではなく、競争業者とは考えていない競争業者

【供給業者・中間媒介業者】

供給業者とは原材料や製品を供給する業者、すなわち小売業者における卸売業者、卸売業者における製造業者が該当します。中間媒介業者とは、製造業者→1次卸売業者→2次卸売業者→小売業者というチャネルにおける卸売業者がそれにあたります。

1-5 内部環境　～自社～

【ポイント！】裏づけなしの「独りよがり」の自社分析は意味なし。定量的・相対的な裏づけとセットで自社の分析を行うべし。

内部環境分析では、事業機会の探索を行う上で、その企業が所有する経営資源の強みと弱みは何かを明確にします。分析の視点としては、以下の視点を基に、どのように企業内において、強みとなるかを具体的に記述します。

①**生産力**……他社にない生産技術や商品開発力があること
②**生産能力**……他社より短期間で大量の製品が生産できること、また、他社に比べ、ローコスト・少人数で同じものを生産する技術・設備があること
③**市場シェア**……他社より大きな市場を確保していること。規模の経済という観点から見

内部環境　～自社～

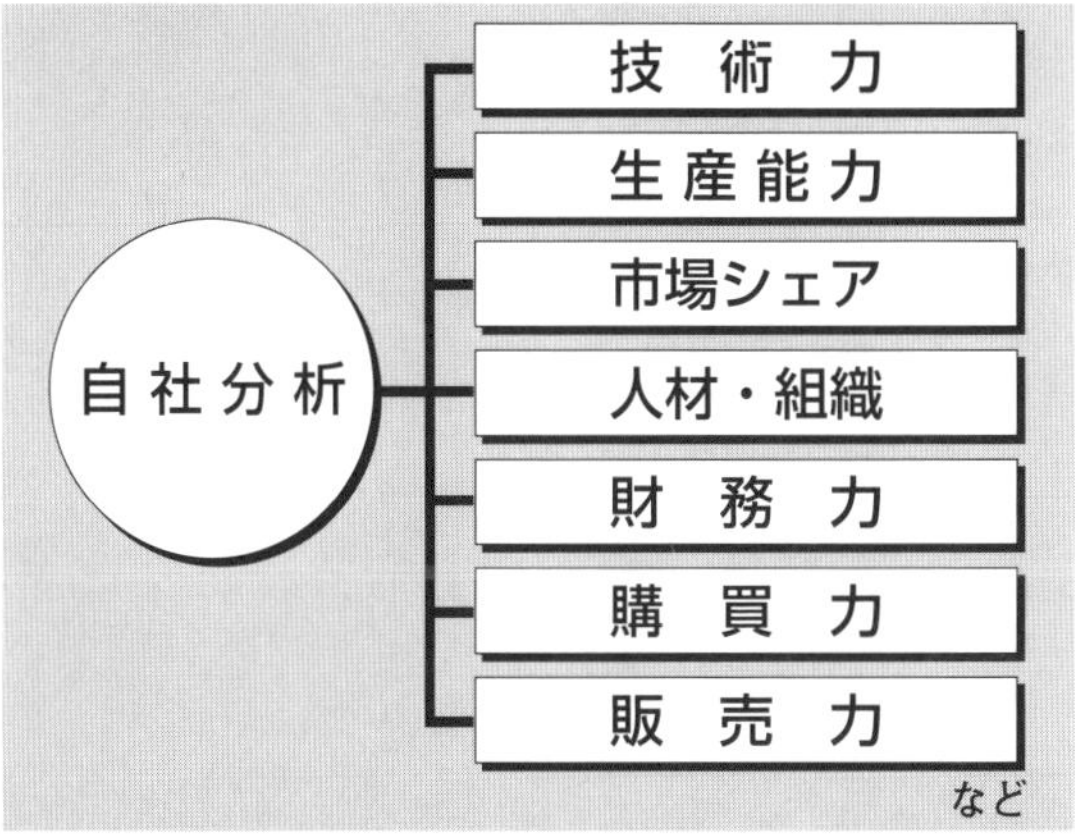

ても、また、リスク分散の観点から見ても、強みになると言えます。

④**人材・組織**……優秀な人材を多く雇用している企業、また団結力のある組織形態を維持していることなど。

⑤**財務力**……財務基盤がしっかりしている企業、資金に余裕のある企業。

⑥**購買力**……良い供給業者を選定する能力があり、他社より安いコスト・短納期で、ものを購買できる力など。

⑦**販売力**……マーケティング能力や販売力が優れていることなど。

ここで掲げた「強み」の要素を持っていない企業は、そのことがそのまま「弱み」へとつながることになると考えられます。

1-6 SWOT分析

前項で述べた、SWOTの目的である意思決定をするためには、1つ目に挙げた「超」具体的な裏づけを基にした事実ベースの信頼できる整理が大前提となります。

具体的には、まず経営環境を内部環境と外部環境に区分した上で、内部環境として、**自社の強み（Strengths）と弱み（Weaknesses）**を、外部環境として**機会（Opportunities）と脅威（Threats）**を洗い出します。その上で、この洗い出された情報を基に、強みと弱みを機会と脅威に結びつけていきます。たとえば、①強みを機会に対して活かす（**最大の機会**）、②強みを脅威の克服に活かす、③弱みを機会に乗じて克服する、④最悪の事態を回避する（**最大の脅威**）というものです。これにより、将来に向けた具体的な戦略課題と採り得るオプションを明らかにすることこそ、SWOT分析の目的なのです。

ＳＷＯＴの目的とシナリオプランニング

内部環境／外部環境	強み（内部環境のプラス材料）	弱み（内部環境のマイナス材料）
機会（内部環境のプラス材料）	①自社の強みで成長可能な事業は何か？ 最大の機会	③自社の弱みを機会で克服できないか？　弱みを克服して機会を取り込めないか？
脅威（内部環境のマイナス材料）	②自社の強みで脅威を克服できないか？（他社には脅威でも自社の強みで機会に変えられないか？）	④自社の弱みと脅威で、最悪の事態を回避できないか？ 最大の脅威

↓

リスクシナリオ

1-7 SWOT分析の事例──問題文

ＳＷＯＴ分析の締めくくりとして、最後に、実際にＳＷＯＴ分析をどのように活用していくのかを、Ａ社の事例をもとに見ていくこととします。

【事例】 Ａ社は、売上高約2億円、従業員6名の地方広告代理店です。また、Ａ社はＧ県を中心に地域に密着した広告を扱い、主要な顧客として、地元のホテル・旅館・温泉宿、地元の飲食店を持っており、新聞・テレビ広告などを扱っています。

この業界の特徴としては、ここ数年、ＩＴ技術の影響を受け、インターネット上のバナー広告、電子メール広告等が出現しています。ここ数年において、企業が使用するネット広告費は毎年倍増の傾向をとっていますが、Ａ社は取り組みが遅れており、現在、ネット広告の取扱いは行っていません。

また、Ｇ県に関しては、ここ数カ月前より全国人気ドラマの舞台となり、全国各地から

経営環境の整理

外部環境	マクロ環境		IT技術の発達
外部環境	ミクロ環境	顧客・市場	G県の観光客が倍増 温泉ブーム
外部環境	ミクロ環境	競合	ネット広告業の台頭
内部環境	自社		主要顧客は地元ホテル、旅館、飲食店 製品は雑誌広告を主軸＋新聞広告・テレビ広告（ローカルな媒体を通じて） IT技術への取り組みが遅れている 昔からの土地勘がある 情報収集力が高い 地元企業からの信用がある 営業力は高い 温泉宿におけるシェアは県内一のレベル 営業範囲が狭い

の観光客が急増したほか、近年の若者からお年寄りまでの温泉ブームも影響しているものと思われます。そのような中で、A社は、G県内においては、昔からの土地勘があり、情報収集力も高いため、地元企業からの信用度も高くなっています。それらが影響し、少人数の割には、社長を中心にG県内における営業力が高く、現在の人数では仕事が賄えないほどの注文が来ており、特に温泉宿の取り扱い件数は県内一のレベルを誇っています。

　しかし、現在の営業範囲は約１５０キロ範囲内に限定されており、また、顧客が中小企業を中心としています。以上のような企業環境を踏まえ、今後A社が進むべき方向づけを検討してください。

1-8 SWOT分析の事例――分析結果例

前述の状況から以下のように分析を行うことができます。

①強みを機会に対して活かす

・強み→G県における強い営業力及び情報力、G県情報を取り扱う多様な広告媒体を保持
・機会→テレビドラマによるG県の注目度アップ、近年来の温泉ブーム
・今後進むべき方向→強みであるG県に関する情報力・広告媒体を活かし、全国的な旅行雑誌の発刊及び新聞広告の発行

G県のテレビドラマの影響や近年の温泉ブームによって、観光客は増加しており、全国的なPRを行う広告を取り扱うことで、地域温泉ブームのさらなる飛躍を喚起する。

②強みを脅威の克服に活かす

・強み→G県における強い営業力及び情報力

SWOT分析

	好影響	悪影響
外部環境	〈機会（O）〉 IT技術の発達 G県の観光客が倍増 温泉ブーム	〈脅威（T）〉 ネット広告業の台頭
内部環境	〈強み（S）〉 昔からの土地勘 情報収集力 地元企業からの信用 営業力の高さ 温泉宿におけるシェアの高さ 広範な広告メニュー	〈弱み（W）〉 IT技術への取り組みが遅れている 営業範囲が狭い ローカルな広告媒体のみを取り扱う

・脅威→ネット広告業
・今後A社が進むべき方向→強みである営業力を活かし、ネット広告の取扱いにより、新たな顧客獲得による市場拡大を図る

③弱みを機会に乗じて克服する

・弱み→G県を中心とするローカル範囲のみを扱う営業網、ローカルな広告媒体のみを取り扱う
・機会→G県の全国的なブーム、目覚しいIT技術の発達
・今後A社が進むべき方向→G県ブームを活かした全国的な広告媒体を取扱う。また、IT技術を活用し、ネット広告などの安価で質が高く、全国へPR可能な広告を取り扱うことで脱皮を図る

第2節　マーケティングリサーチ

2-1 マーケティングリサーチの役割と手順

【ポイント！】時間と費用面で軽視しがちなマーケティングリサーチは基本中の基本。リサーチのない製品投入は単なる「思いつき」のバクチにすぎない。

外部環境分析及び市場細分化を行うために、必要となる情報収集の手段として、**マーケティングリサーチ**があります。一般的に図のような手順を踏んで進めていきますが、ここでのポイントは「無駄な作業」を「効率よく」してしまわないということです。

「無駄な作業」とは、リサーチの目的が曖昧で掘り下げが足りなければ、曖昧な情報を取り続けてしまう、ということです。重要と思われる情報を考えずに単なる「作業」として取得しようとすれば、1週間でも1年間でも取得可能なほど、情報はどこにでも、いくらでも存在します。重要なことは、「何を証明するため」だけに必要な「どんな情報」だけ

マーケティングリサーチの手順

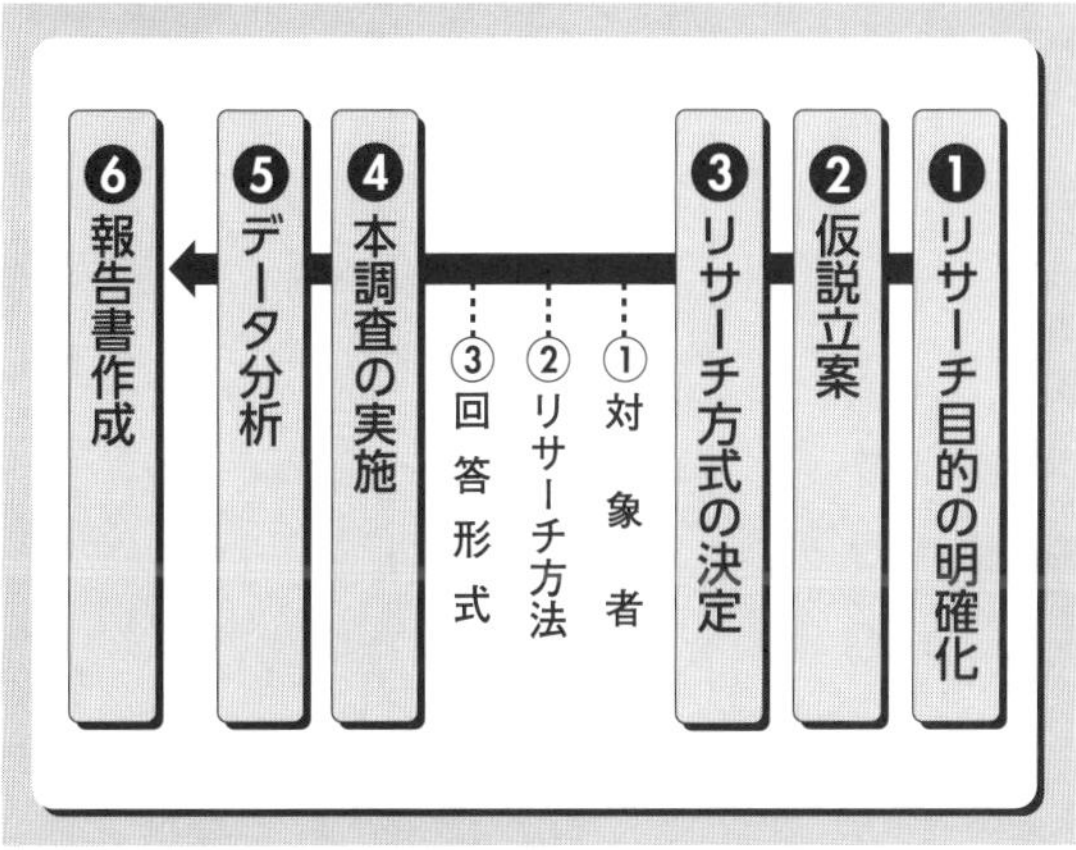

を取得するのか？　もし、その情報がなければ「どんな情報で代替させるのか？」ということを設計段階で明確にしておくことです。

たとえば、「国際財務報告基準学習のためのEラーニング」事業を検討している場合、ズバリそのものの市場情報が存在することはめったにありません。①会計教育の市場、②企業研修のEラーニング市場、そして、いくつかでも国際財務報告基準をEラーニングで提供している企業があれば、③上位数社の売上げの合計、といった代替情報を基に過去の趨勢と将来の予測を整理することができます。

この段階では「**参入すべきかどうか**」という判断材料が目的なので、細かな百万、千万単位の数字などは重要ではありません。

2-2 情報収集方法の決定（調査対象者の選択及び調査票作成）

【ポイント！】少ない予算と調査対象で行うには優位選出法、大規模で行うなら無作為抽出法。重要な共通項は、調査対象自体が偏らず（調査目的に沿った調査対象の代表性をもっており）、統計学的に有意な調査になっている、ということである。

■有意選出法と無作為抽出法

対象者の選定方法には大きく2つあります。1つは、対象者を調査企画者が定義し、その定義に基づいて代表性があると思われる対象者を選び出す「**有意選出法**」、もう1つは、企画者の主観をまったく入れずにランダムに対象者を抽出する「**無作為抽出法**」です。

有意選出法の中の典型法は、対象者をできるだけ全体を代表するようにあらかじめ典型的と言えるための条件を設定しておいて、それに従って選ぶ形がとられます。対象者数が

対象者の選定

❶ 有意選出法

代表性があると思われる対象者を選出

1.典型法	対象者をできるだけ全体を代表するようにあらかじめ典型的といえるための条件を設定しておき、それに従って選ぶ方法
2.割当法	サンプルの代表性を保つために、前もって各基準及びその対象者数を割り当てる

❷ 無作為抽出法

乱数表を用いるなどして確率的に対象者を抽出

少ないときは、「典型的」な対象の定義が主観に頼らざるをえないということが大きな欠点として挙げられます。

一方、性・年代の構造に関してサンプルの代表性を保つために、前もって各基準及びその対象者数を割り当てるものは「**割当法**」と言われています。細かな条件をつけることもできますが、当然該当する対象者を探す苦労があります。

また、無作為法と割当法の混合型は「**エリア・サンプリング**」とも呼ばれていますが、無作為に抽出されたサンプルをあくまで調査しようとしても限界があるケースが多いため、最初からサンプルの代替が利く割当法で実施をする形が見られます。

2-3 データの収集①

【ポイント!】あらゆる調査方式でもデータの誤差が発生し得る。誤った事実を前提にロジックを組み立てないよう、誤差の発生源をあらかじめチェックしよう。

■データの収集方法

対象者からデータを収集するための調査方式には、その目的や意図によって各種方法があり、それぞれメリットとデメリットがあります。代表的なものには、図表に挙げた方法のほか、最近ではファックスやインターネットを利用する方法も見られます

一方、いずれの方法にしても、結果の妥当性に気をつける必要があります。100%正しい調査データというのは、現実には収集することが困難なケースが多いためです。では、その誤差の発生源はどのようなものでしょうか。

データの収集とその有効性

データ収集方法

❶ 面接法	調査員が直接面接して質問し回答を書き取る
❷ 電話法	電話で質問し回答を書き取る
❸ 郵送法	調査票を郵送し回答済み票を返送してもらう
❹ 留置法	記入済み調査票を後で回収する
❺ 集団面接法（グループインタビュー）	座談会方式で出席者５～８人からヒアリング

①企画自体が適当ではないケース（意味のないデータ）
②対象者が適当でないケース
③拒否等によりデータが取得できないケース
④回答内容が信頼できないケース
⑤調査票データの集計ミスが起きるケース

調査プロセスで発生し得る５つのステップの中で、質問回答のところで発生するものが「回答誤差」になります。この回答誤差の原因として考えられるのは、「設問自体があいまいで、主観的な基準に頼ってしまう場合（例「好き」「嫌い」「少し好き」「少し嫌い」等）」と、そもそも設問に対し「本当のことを答えない場合（たとえば年収等）」が考えられます。

2-4 データの収集②

【ポイント！】どの調査法でも必ずトレードオフ（プラスがあればマイナスがある）が存在する。好ましい調査方法を選択してもその方法の落とし穴にはまらない対策をセットで検討すべし。

代表的な面接法と郵送法ですが、好ましい場合と好ましくない場合があります。

まず、対象者が地域的に分散している場合、面接では交通費が高くつくため、郵送法が適しています。また、面接法は調査員の能力に左右されるため、調査員誤差を含まない郵送法のほうが優れている場合があります。

一方、郵送法を採用するには時間的に余裕がなければなりません。また、調査票の質問量が多いと回収率が落ち、複雑だと回答ミスや記入もれが多くなるので、大量もしくは複

面接法と郵送法の比較

郵送法が適しているケース

- 対象者が地域的に分散している場合（面接では、交通費が高くつく）
- 経験の浅い新人調査員を使う場合、調査員誤差を含まない郵送法のほうが優れている

面接法が適しているケース

- 時間がないとき（郵送法を採用するには時間的に余裕がなければならない）
- 大量もしくは複雑な質問に対するデータを収集する必要がある場合（調査票の質問量が多いと郵送法では回収率が落ち、複雑だと回答誤りや記入もれが多くなる）

雑な質問に対するデータを収集する必要がある場合は、面接法が適していると言えます。

この他にも、回答誤差の点で、郵送法は他の家族が記入したり回答態度が真意でない場合が考えられる反面、対象者が時間をかけて慎重かつ丁寧な回答をしてくれるケースも考えられるなど、その目的と調査内容によって使い分ける必要があります。

なお、電話やインターネット、ファックスなどによる収集法は、面接法、郵送法に比べて、現地で世帯を探したり調査票の発送回収をしたりする手間が省け、それが実査期間の短縮、費用の節約にもつながり、即時性が大切なテーマなどにも適しています。

2-5 データの解析

【ポイント！】調査結果は立体的に分析せよ！　複数の回答の掛け合わせで何が言えるのか？　どういったことが明らかになるのか？　隠れたポイントを見つけるべし。

データの代表的な解析手法である多変量解析法は、文字どおり多くの変数（変量）を総括的に取り扱う分析手法の1つです。この手法はさらに①変数を総合化する方法と、②変数間の距離を測る方法に分かれて、利用目的によって使い分けられています

①変数を総合化する手法（因子分析、主成分分析）

3つ以上の製品属性評価（変数）の軸を合成し、2次元または3次元に圧縮することでマッピング化することが出来ます。上の2つの手法では総合化された新しい変数をそれぞれ因子、主成分と呼んでいます。

データ解析の手法

基準変数（目的変数）		多変量解析の目的	説明変数	
			量的	質的
あり	量的	・予測式の発見 ・量の指定	・重回帰分析 ・区準分析	・数量化分析Ⅰ類
あり	質的	・標本の分類 ・質の指定	・クラスター分析 ・判別分析	・クラスター分析 ・数量化分析Ⅱ類
なし		・多変量の統合 ・変量の分類 ・代表変量の発見	・主成分分析 ・因子分析	・数量化分析Ⅲ類、Ⅳ類

②変数間の距離を測る方法（重回帰分析、判別分析）

同じ1つのブランドでも消費者により属性評価が異なるため、購入意向も異なる結果を得ることができます。この場合、属性評価を説明変数（複数）、購入意向を目的変数（1個）として、前者を総合化することによって後者を推測しようとします。つまり、ある人の属性評価からその人の購入意向の度合いを知ろうとするわけで、これが重回帰分析です。目的変数が購入・非購入の2カテゴリーのときは、分析結果から買うか買わないかがわかればいいので、これは判別分析となります。

COLUMN

〈コラム〉
環境変化に伴う消費者行動の変化

時代の移り変わりとともに、消費者行動のパターンも、それに対応する事業者のマーケティング戦略のパターンも変化しつつあります。特に顕著なのが、家電業界です。

いわゆる「パパママショップ」と呼ばれたメーカーのブランド専業の街の電気屋さんやブランド併売の電気屋さんは、合従連衡によるシェア拡大戦争の中でますます体力が増大された大手量販店の進出により大きく店舗数を減らすことになりました。

同じ製品を売るのに、集中購買と巨大な店舗チャネルによる原価低減の交渉力からくる低価格と製品ラインナップの違いにより、単純に価格と品揃えで太刀打ちできなくなってきているのです。

そんな中、アメリカではベストバイといった大手量販店の売上も、店舗を持たないアマゾンなどのインターネット販売事業者と比較すると、価格も品ぞろえも立ち打ちできない、という状況が顕著になってきました。つまり、消費者は、①ネット上で製品比較を行い、②実際に店舗で実物を確認した上で、③信頼性と価格のバランスのよいインターネット店舗で注文を行う、ショールーミングという行動が認識されつつあります。量販店の家電展示場化です。

今後日本でもネット販売業者が強くなっていくと、同様の課題が注目されてくるでしょう。その際、リアル店舗、ネット店舗それぞれのマイナス面を防ぎながら「プラス面をいかに活かしていくか？」という視点を追及していくことになります。

たとえば、今ではほとんどのリアル店舗の量販店はネット上での店舗を構えて、エリアの隙間をなくす対応をとっていますが、リアル店舗を持っている分だけネット店舗に比べて同じ値引きを実行することは困難です。そこで、独自の自店で現金同様使える付与ポイントをアップしたり、値引きではなく、最終的に自店での購入金額をアップさせる前提で自店ポイントを付与する努力をしています。

ただし、最大の強みはマイナス面の裏返しですが、エリアに店舗を持っているということそのものであり、チラシや来店するだけでポイントをもらえる来店ポイントなどにより消費者との接触頻度を増やし、家に帰って比較検討熟考される前に判断いただけるよう店舗独自のリアルタイム販促の実施を行います。当然、セールスの教育と質が重要になってきます。

具体的には、前述の特別のポイントアップサービスのほか、即日配達設置サービスや買い替え対象テレビの回収サービス、洗濯機設置可能かどうかの無料訪問見積もり調査など、サービス面での販促カードを中心に、購買行動を促しています。

第3章

標的市場の選定と市場での競争優位構築

第3章「標的市場の選定と市場での競争優位構築」では、競争優位性を構築するための市場のセグメンテーション、ターゲティング、そしてポジショニングからなる「ターゲットマーケティング」について考えていきます。

第1節「ターゲットマーケティングとその手順」では、このプロセスの重要性を理解した上で、その実行方法を見ていきます。

第2節「セグメンテーション」では、概要とあわせて、「何をどうセグメントすべきか」という基準についての説明をします。

第3節「ターゲティング」では、実際に行われた市場セグメントを「いかに評価し、選択」すべきか、ということを扱います。

第4節では、ターゲティングされたセグメントにおいて、自社がどう競合と差別化できるのか、というポイントを理解し、全体的な自社の位置づけを知るためのポジショニングマップについて説明します。

第1節　ターゲットマーケティングとその手順

1-1 ターゲットマーケティングの必要性

【ポイント!】モノがあふれている現在、世界的に競合のいない業界は存在しない。限られた資源で競合に勝つには勝つべきポイントを絞り込んで、勝てる土俵で確実に勝て！　そのためのステップとしてSTPがある。

前章では、マーケティング戦略策定の第1ステップとして環境分析を行いました。本章では、それを受けて標的市場の選定とその市場における競争優位性の確保を学習します。
たとえ大企業といえども、保有する経営資源には限りがあります。したがって、企業はすべての市場においてカバーするのではなく、自社の強みを活かしていける魅力的な市場を狙っていかなければなりません。このようなマーケティングは「**ターゲットマーケティング**」と呼ばれます。コトラーは、ターゲットマーケティングを「市場をいくつかのセグ

ターゲットマーケティング

意義	標的市場の選定 その市場における競争優位性の確保
手順	Ⓢセグメンテーション ↓ Ⓣターゲティング ↓ Ⓟポジショニング

メントに分け、そのうちの1つないし若干のセグメントに狙いを定め、セグメントごとに適切な製品を開発し、セグメントごとにマーケティングプログラムを策定していこうとするアプローチである」と述べています。

そして、ターゲットマーケティングの利点として、市場機会が見つけやすいこと、及びより効果的なマーケティングミックスが策定できることを指摘しています。

ターゲットマーケティングには、3つのプロセスがあります。それは、「**セグメンテーション**」→「**ターゲティング**」→「**ポジショニング**」です。この3つは、現代の戦略的マーケティングの核心をなすものです。次ページ以降で、それぞれ詳述していきます。

第2節　セグメンテーション

2-1 セグメンテーションとは

【ポイント!】最終的に自社の標的市場を絞り込むうえで「意味のある」分け方（軸）で市場を区分けよ。1つでなく、何種類も考えて、最終的に決めよう。

セグメンテーションとは、市場を一定の基準に従って、同質と考えられる小集団に細分化することです。セグメンテーションなしに、すべての人のニーズを満たすような製品を提供することは非常に困難です。モノが充足している現代社会においては、消費者の欲求は高度化・多様化しています。すべてのニーズを満たすことを意図して製品を提供しようとすることは、かえってコンセプトが不明確となり、消費者への訴求効果が低くなってしまいます。一方、すべての人が異なるニーズを持っているためとはいえ、個々の顧客専用の製品を提供していたのでは、コストがかかり現実的ではありません。そこで、セグメン

セグメンテーションとは

年齢＼所得	300万円以下	301万円〜500万円	501万円〜700万円	701万円〜900万円	901万円〜1000万円	1000万円以下
10代						
20代						
30代						
40代						
50代						
60代						セグメント
70代						

テーションという手法が必要になります。つまり、共通のニーズ及び類似した購買パターンを持つ顧客のグループに市場を分割し、それに応じて対応することで、より効率的なマーケティングが実行できるということです。

セグメンテーションを有効的に実行する上で、以下の4つの条件が必要とされています。

①測定可能性……セグメントの規模と競売力が測定できること

②実質性……最低限の規模ないし利益獲得の見込みがあること

③到達可能性……市場セグメントへ効果的に到達でき、統計的数字が入手できること

④実行可能性……セグメントへ向けて効果的プログラムを作る経営資源を備えていること

2-2 セグメンテーション基準①

では、市場の細分化をどのような基準で行うべきでしょうか。セグメンテーションを行う上では、当然その基準の設定、つまり市場を細分化する際の軸の設定が重要となります。

以下のような属性を適宜選択または組み合わせて用いることができます。

①**地理的変数**……国・県・市などのエリア、都市規模、人口密度、気候など地理的な基準で市場を細分化します。

②**人口統計的変数**……年齢、性別、家族数、家族ライフサイクル、所得、職業、学歴、宗教、人種、国籍などの基準があげられます。測定しやすいことから、最も一般的な変数であると言えます。

③**心理的変数**……年齢が同じなど人口統計的には同一の集団に属する人であっても、社会階層、ライフスタイル（生活様式）、性格などの心理的変数によると、異なる集団に属す

セグメンテーション変数

地理的変数	エリア、都市規模、人口密度、気候など
人口統計的変数	年齢、性別、家族数、所得、職業、家族ライフサイクルなど
心理的変数	社会階層、ライフスタイル、性格など
行動的変数	追求便益、使用者状態、使用頻度、ロイヤリティー、購買準備段階、製品への態度など

る場合があります。

④**行動的変数**……製品に対する知識、態度、使用状況、反応などに関する変数です。具体的には、追求便益、使用者状態、使用頻度、ロイヤルティ、購買準備段階、製品への態度、などがあげられます。

前述のとおり、現在ではインターネットインフラの拡大により、自分が閲覧したページの履歴が残ったり、フェイスブックやツイッターと各種ウェブサイトの連携による情報の共有化により、行動的変数の把握がしやすくなりました。そのため、人口統計的や心理的な変数よりも実際の行動から直接対象消費者を特定する方法が重視されつつあります。

2-3 セグメンテーション基準②

自社が狙うだけの大きさと成長見通しを持つ市場において、そのセグメントを獲得できるだけの自社のリソースや能力を持つセグメントを絞り込んでいくための最初のステップとして必要な手法になるのが、セグメンテーションです。

まず、市場がどのようなセグメントで構成されているかの仮説を作り、セグメントの軸に沿って、**必要な情報を確保（①調査段階）**します。その上で、因子分析やクラスター分析を行って、**各クラスター（cluster＝「房」。同質の小集団に分ける）を抽出（②分析段階）**した上で、**各クラスターを特徴づける要因（③プロフィールを描く段階）を描き、仮説セグメントの有効性を検証する**という3つの段階を経ますが、簡易的に図表のとおりセグメンテーションの変数一般的に適宜組み合わせて使われることもあります。

消費者市場細分化変数の例

地理的変数	
地域	太平洋沿岸、山岳部、北西中部、南西中部、北東中部、南東中部、南部大西洋沿岸、中部大西洋沿岸、ニューイングランド
都市または都市部	4999以下、5000～1万9999、2万～4万9999、5万～9万9999、10万～24万9999、25万～49万9999、50万～99万9999、100万～399万9999、400万以上
人口密度	都市圏、郊外、地方
気候	北部、南部
デモグラフィック変数	
年齢	6歳未満、6歳～11歳、12歳～19歳、20歳～34歳、35歳～49歳、50歳～64歳、65歳以上
世帯規模	1～2人、3人～4人、5人以上
家族のライフ	若い独身者、若い既婚者で子供なし、若い既婚者で末子が6歳未満、若い既婚者で末子が6歳以上、年配の既婚者で子供あり、年配の既婚者で18歳未満の子供なし、年配の独身者、その他
性別	男性、女性
所得	9999ドル以下、1万ドル～1万4999ドル、1万5000ドル～1万9999ドル、2万ドル～2万9999ドル、3万ドル～、4万4999ドル、5万ドル～9万9999ドル、10万ドル以上
職業	専門職および技術者、マネジャー、役員、経営者、事務員および販売員、職人、職工長、熟練工、農場主、退職者、学生、主婦、無職
教育水準	中卒以下、高校中退、高卒、大学中退、大卒
宗教	カトリック、プロテスタント、ユダヤ教、イスラム教、ヒンズー教、その他
人種	白人、黒人、アジア系、ヒスパニック系
世代	ベビーブーム世代、ジェネレーションX
国籍	北アメリカ、南アメリカ、イギリス、フランス、ドイツ、イタリア、日本
社会階層	最下層、下層の上、労働者階層、中流階層、中流の上、上流の下、最上流
サイコグラフィック変数	
ライフスタイル	保守的な常識家、先端を行く指導者タイプ、芸術家タイプ
パーソナリティ	衝動的、社交的、権威主義的、野心家
行動上の変数	
使用機会	日常的機会、特別な機会
ベネフィット	品質、サービス、経済性、迅速性
ユーザーの状態	非ユーザー、元ユーザー、潜在的ユーザー、初回ユーザー、レギュラーユーザー
使用割合	ライトユーザー、ミドルユーザー、ヘビーユーザー
ロイヤリティ	なし、中程度、強い、絶対的
購買準備段階	認知せず、認知あり、情報あり、関心あり、購入希望あり、購入意図あり
製品に対する態度	熱狂的、肯定的、無関心、否定的、敵対的

出所：『コトラーのマーケティング・マネジメント　ミレニアム版』（ピアソン・エデュケーション刊）

第3節　ターゲティング

3-1 市場セグメントの評価

【ポイント！】区分けたセグメントの①規模と成長性、②収益性、③自社戦略・リソースとの整合性でターゲティングしよう。

市場を一定の基準に基づいて小集団に分割した後、その細分化された小集団のどれに狙いを定めるかを決める「**ターゲティング**」を実施します。ターゲティングは、**各セグメントの魅力度の評価とセグメントの選定**という2段階で行います。まず、セグメントの評価にあたり、その規模、成長性、収益性、そして自社の目標・資源について検討します。

セグメントの「規模」と「成長性」では、**そのセグメントが自社にとって適正な規模があるか**について考えます。また、**将来的な成長性は見込めるかどうか**について検討します。

セグメントの「構造的魅力度（収益性）」では、**そのセグメントが、収益的に魅力がある**

セグメントの評価

1 規模と成長性

そのセグメントの潜在規模は十分か?
成長力はあるか?

2 構造的な収益性

そのセグメントは構造的に収益性をもたらす事業環境か?
(談合の強さ、新規参入のしやすさなど)

3 自社戦略・リソースとの整合性

そのセグメントが自社の長期目標や資源スキルなどとの整合性があるか?

かどうかを検討します。短期的な視点だけでなく、長期的な視点から検討することも必要です。そして、**そのセグメントが自社の目標に合致しているのかを検討し、また、実行するのに必要な資源やスキルが自社にあるかどうか**を確認しなければなりません。

一方、企業の収益性に関しては、企業を取り巻く競争環境とも密接に関わっています。企業の獲得する利益は、ポーターが指摘した5つの力により、販売価格が引き下げられたり、コストが引き上げられたりすることによって、利益が目減りしていきます。この**セグメントの構造上の競争環境**も考慮に入れ、収益性を考えていく必要があります。

第4節　ポジショニング

4-1 ポジショニングとは　～競合と何をもって差別化するのか～

【ポイント！】ターゲティングしたセグメントで「競合との違いを明確にするために必要な軸」を選び、競合と「対照的な位置に来るように」マッピングしよう！

選定したセグメントに対し、競合相手より魅力的であることを示すには、他社の特徴と対照的な**差別的優位性**を描き出し、そのポイントを宣伝（プロモート）する必要があります。これがポジショニングです。これを明示化するためには、対照的な差別化ポイントとなりえる特徴を2つの代表的な軸で図示した「ポジショニングマップ」等を活用します。

ここで重要なことは、「**消費者または法人顧客にとって魅力的な意味のある差別化ポイントを選び出す**」ということです。つまり、ポジショニングの前の時点でマーケティングリサーチ等を通して潜在顧客にとっての重要な特徴を十分に把握しておく必要があります。

ポジショニングマップ

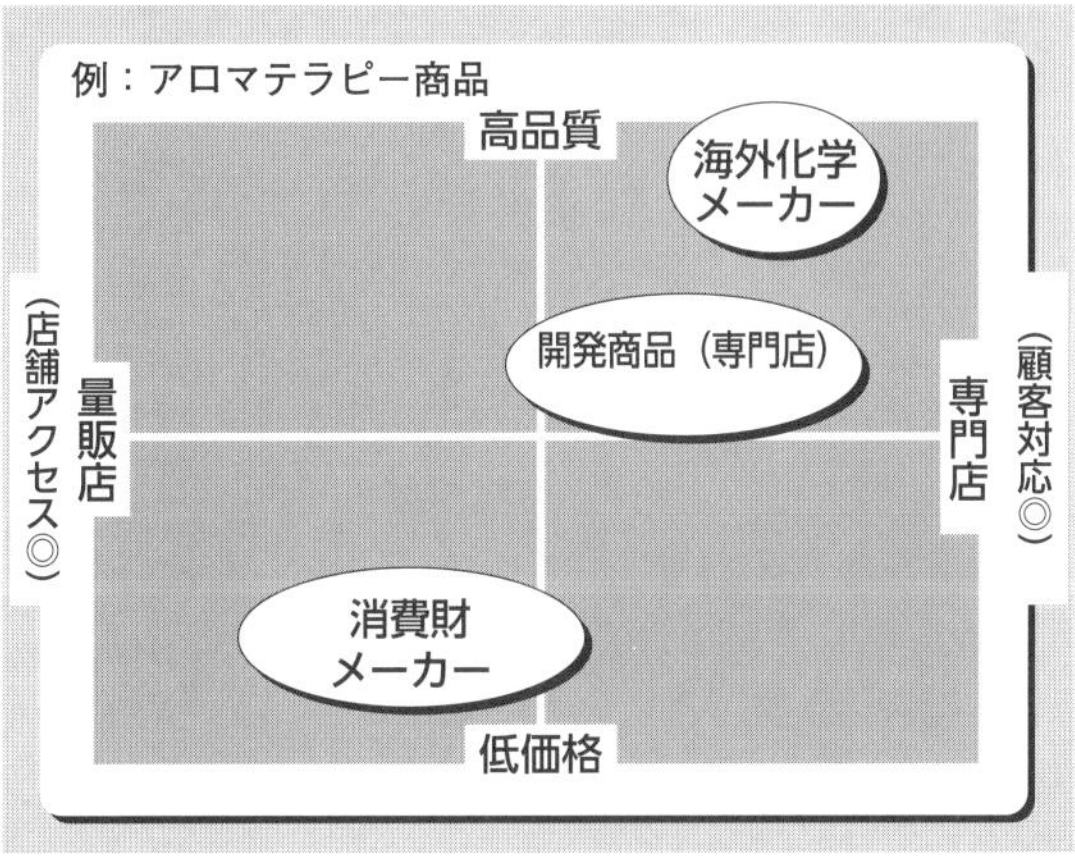

たとえば、数％程度の価格の値引きにはそれほど反応しない（価格弾力性の低い）ラグジェリー商品や希少性の高い製品に対し、価格の安さをプロモートすることはいたずらに製品の利益率を下げるだけでなく、最も重要なブランドや信頼性といった無形資産を毀損させることになりかねません。したがって、幅広いポイントの検討対象に基づきながらも、自社製品にとって意味のある差別化ポイントに絞り込んだ上で決定する必要があります。

差別化ポイントの範囲は幅広く、常に体系的に捉え、個別製品ごとにゼロベースで検討していくことが重要です。具体的にどのような視点で差別化を図るべきか次項で詳しく見ていきましょう。

4-2 差別化の方法とポジショニングマップ

コトラーらは、主な差別化のポイントは、大きく①製品、②サービス、③社員、④イメージという4つの視点で、以下のような16の個別差別化ポイントを検討することができる、と説明しています。

①製品の差別化……機能特性、成果、品質、性能ばらつき具合、耐久性、信頼性など
②サービスの差別化……デリバリー、設置、訓練など
③社員の差別化……能力、丁寧さ、信頼度、反応の素早さなど
④イメージの差別化……シンボル、活字メディア、イベントなど

実際のポジショニング検討の際には、2つの軸を選んで二次元のマップを描き、自社が最も強い競合と捉えている会社の製品のポジションと自社のポジションが対称になるような軸を選びます。大抵、自社を右上、競合製品を左下に位置づけた上で戦略を検討します。

差別化のポイント

1．製品の差別化

・機能特性（製品の基本機能に付け加えられる諸機能）
・成果（製品の本体的機能が働く程度）
・品質や性能のばらつき具合
・耐久性
・信頼性
・修理のしやすさ
・スタイル（見た目のデザイン）
・デザイン（製品の差別化要因全体との整合性がとれた設計全体）

2．サービスの差別化

・デリバリー（速やか、かつ柔軟な配達・設置）
・設置
・顧客訓練
・コンサルティングサービス
・修理

3．社員の差別化

・能力（知識とスキル）
・丁寧さ
・信頼感や安心感
・反応の素早さ
・コミュニケーション力

4．イメージの差別化

・シンボル
・活字メディアやマルチメディア
・建物や建物空間
・イベント

第4章
マーケティングミックスの構築

第4章「マーケティングミックスの構築」では、製品（product）、価格（price）、プロモーション（promotion）、チャネル（place）といったいわゆるマーケティングの重要なコンセプトである4つの要素（4P）の組み合わせ（マーケティングミックス）についてそれぞれ詳しく見ていきます。

第1節「マーケティングミックスとは」では、右に挙げたマーケティングの4つの要素について説明し、それを組み合わせることの意義について考えてみます。

第2節「製品政策」では、広く製品の定義から、製品の組み合わせであるプロダクトミックスおよびポートフォリオ、製品の寿命、そしてブランドについて扱います。

第3節「価格政策」では、価格とは何かを理解したうえで、価格がどう決まるかという根本的なコンセプトを見ていきます。また、心理的価格などを利用した技術的政策、そして価格を調整していく調整戦略など、広く「価格」に関する概念を把握します。

第4節「チャネル政策」では、流通経路の機能から、その設計方法、設計にあたっての留意点について扱います。

第5節「プロモーション政策」では、基本的な戦略であるプッシュ戦略・プル戦略から、実際におけるプロモーション政策策定プロセスまで扱い、そのプロセスの各々について詳しく見ていきます。

第6節「競争優位のマーケティングミックス」では、まとめとして、製品~チャネルまでの4Pを使い、いかに競争の中で他社と差別化をし、自社の強みを見出していくか、という点にフォーカスして説明します。

第1節　マーケティングミックスとは

1-1 マーケティングミックスとは①

【ポイント！】STPで明確化された「マーケティング戦略」を実践するために必要な戦術（整合性のとれた4つのPの組み合わせ）を考えよう。

自社のねらうべきポジションが明らかになったら、次はそのポジションを確立するために、企業がコントロールできる**製品（Product）**や**価格（Price）**、**チャネル（Place）**、**プロモーション(Promotion)**といった一連のマーケティング手段（頭文字をとって**4P**）を整合性の取れる形で決定していきます。このプロセスを「**マーケティングミックスの最適化**」と言います。詳細は後述しますが、ここでは概略のみ見ていきましょう。

（1）製品政策

「製品政策」では、決定した標的市場に対し、取り扱うべき製品群をどのようなものにす

マーケティングミックスの構築

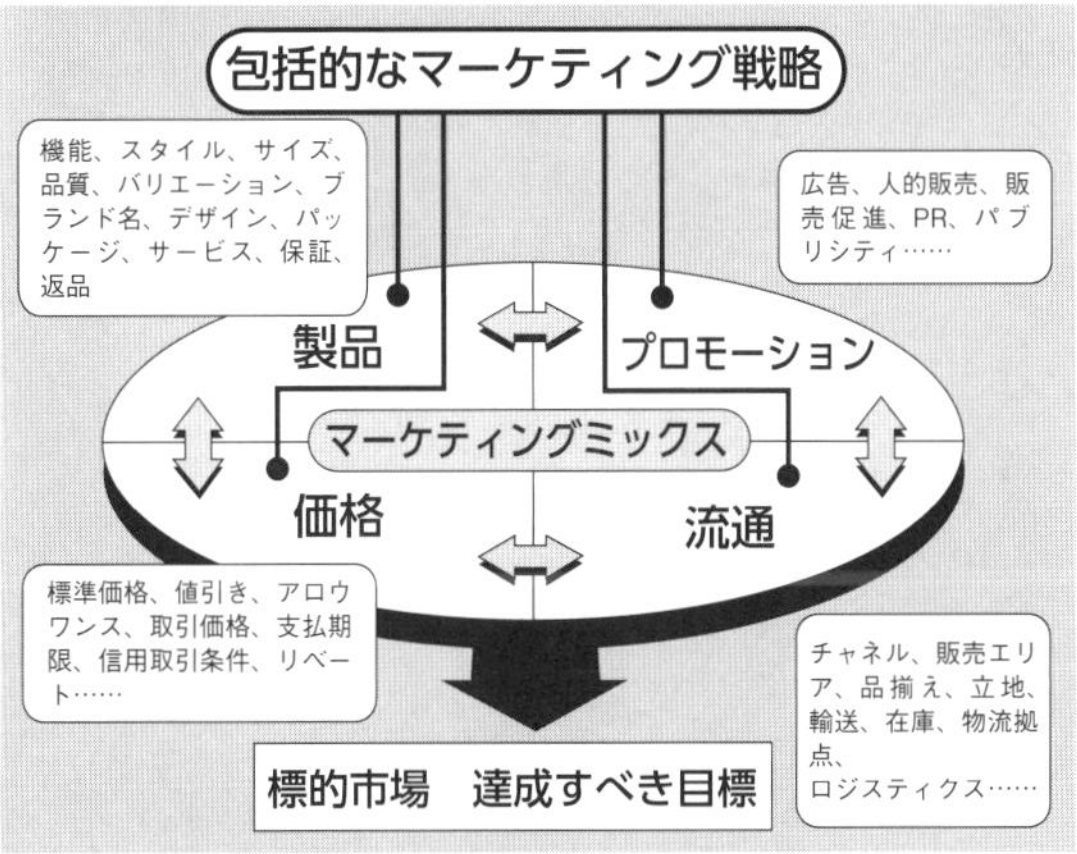

るか、製品の幅・深さなどをどうするか、といった品揃えのほか、消費者または法人顧客が求めるどのレベルのニーズやウォンツを満たすような価値を提供すべきか、といった製品全般のコンセプトについて設定します。

(2) 価格政策

「価格政策」では、文字通り製品の価格設定を扱います。ここでは、製品の価値を顧客へ「表示する（どのように打ち出すか等）」という側面と、その価格の決定によって自社の「利益を直接創出する（利益〈＝「単価×販売数量」－コスト〉を最大化させる価格とは？）」という2つの側面があります。そのような重要な役割をする価格の設定を行います。

1-2 マーケティングミックスとは②

(3) チャネル政策

「チャネル政策」については、チャネルという言葉のイメージがつきづらいと思いますが、製品を最終消費者へ到達させるのにどのような「流通経路（チャネル）」を利用すれば、最も効率的であるかを設定します。4PではPLACEと呼ばれています。

(4) プロモーション政策

「プロモーション政策」は、文字通り製品のプロモーションを扱いますが、ここで言うプロモーションとは「営業組織によるもの（セールスフォース）」、「広告」、「狭義のプロモーション（いわゆる販促）」、そして「記事や取材につながる広報（パブリシティ）」といったものを通して消費者に製品をPRする最適な手段について設定します。

このように、自社のマーケティング戦略に基づく具体的な計画の策定には、4Pそれぞ

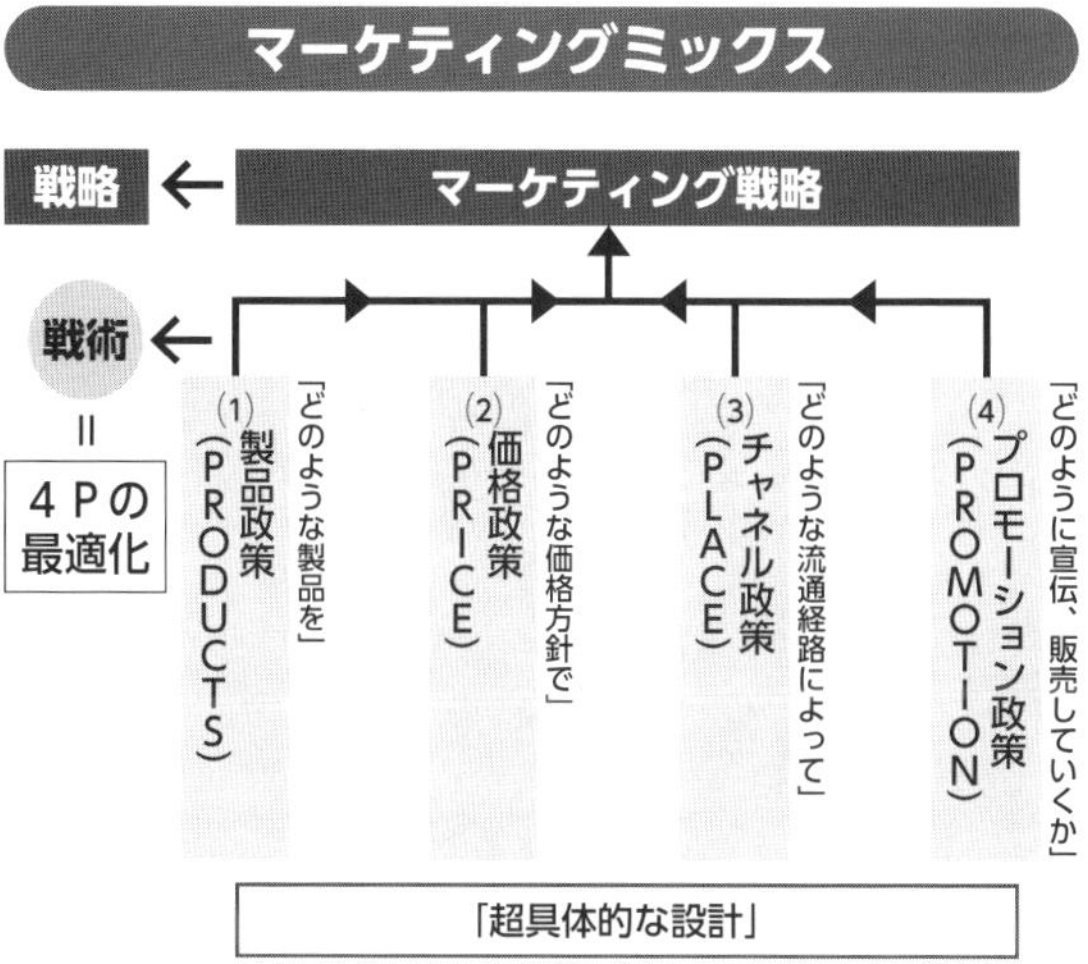

れを組み合わせていく必要があります。

「マーケティングミックス」＝4Pと考えている人もいますが、4つのPを前ページまでで策定したマーケティング戦略に基づいて「**整合性がとれるように組み合わせる**」ことこそが本プロセスの最大の目的です。低価格戦略をとりながら莫大な広告コストをかけたり、教育されたスタッフのいる専売チャネルで流通・販売するといった矛盾した個別政策を放置しないことが重要です。

つまり、4つのそれぞれの個別政策以上に、「**ターゲティング、ポジショニングによって固まったマーケティング戦略に沿った個別政策の組み合わせになっているのか?**」といった確認こそが重要なのです。

第2節　製品政策

2-1 製品とは

【ポイント!】製品の5次元のうち、現在の競争は消費者が期待する次元をもう一段階超えた第4の次元以降の競争になっている（コトラー）。1～3の次元を満たしながら、いかに4以降の付加価値を提案・啓蒙できるかを考えるべし。

製品政策を論じる前に、まず製品とは何かを明らかにする必要があります。消費者は製品そのものを消費、使用、取得したいのではなく、製品を消費、使用、取得することによって何らかのベネフィット（便益）を求めています。製品には5つの次元があります。

第1の次元は、最も基本的な「**中核ベネフィット**」です。メガネという製品を購入する消費者は、メガネ自体が欲しいのではなく、メガネを使用することにより、「目がよく見える」というベネフィット（便益）を求めています。第2の次元は、「**一般製品**」で、製

製品の5次元

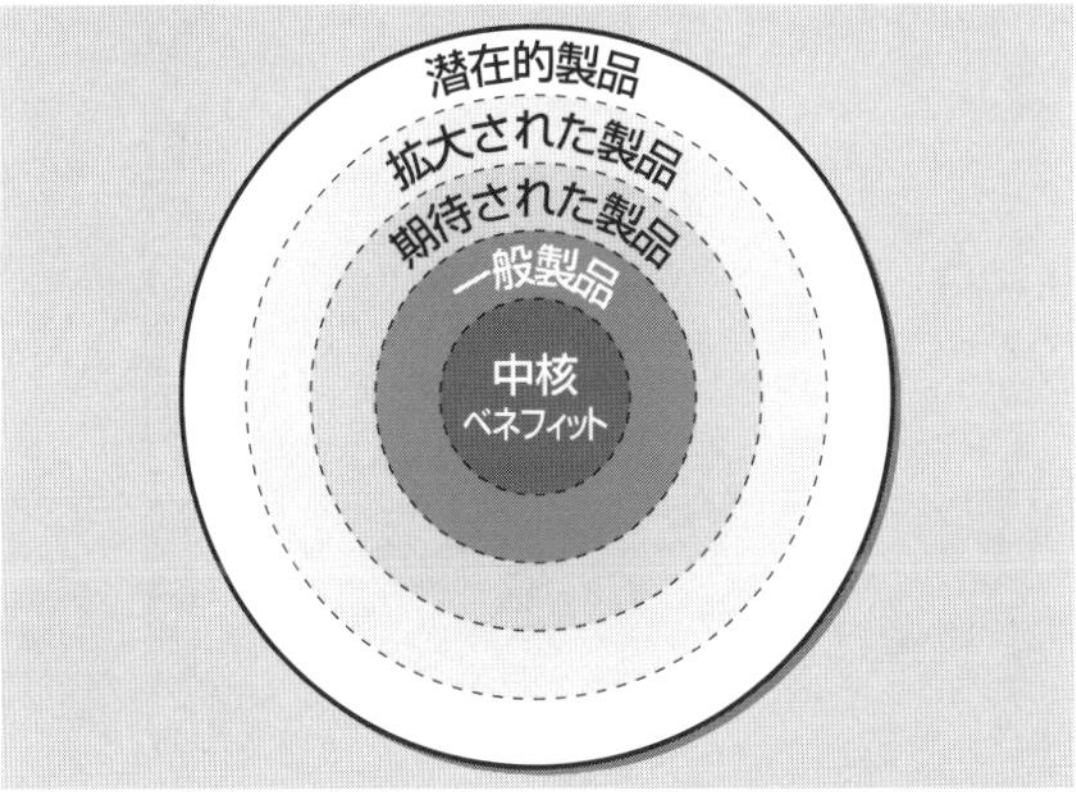

出所：P. コトラー「マーケティング・マネジメント（第７版）」（プレジデント社、1996 年）

品の基本的形を指します。第3の次元は、消費者が購入するとき期待する属性と条件の組み合わせである「**期待された製品**」です。第4の次元は、点検、修理、アフターサービス、配送などの付加的なサービスである「**拡大された製品**」です。第5の次元は、製品の将来のあり方を示す「**潜在的製品**」です。

このように、製品はモノだけではありません。最新鋭の自動生産システムでさえも、ハード機器だけでなく、ソフト、そして歩留まりや故障が発生した際に対処をするマンパワー（サービス）などを含んでいます。

2-2 製品の分類とプロダクトミックス①

【ポイント!】製品はその分類方法により、①「耐久財」と「非耐久財」、そして「サービス」、②「生産財」と「消費財」、③「最寄品」と「買回り品」、「専門品」などで分けられる。これらの分類を認識しながら、製品ラインの数、アイテム数、製品ごとの種類数、各生産ラインの製品機能、流通経路などのプロダクトミックスを考えよう。

前述のように、製品は5つの次元を含んでいますが、これらの製品をさらに以下のように分類した上で、どのような製品の組み合わせが設定した標的市場に対し適正であるかというプロダクトミックスを検討します。

〈製品の分類〉

製品の分類

（1）物理的特性による分類

①非耐久財（飲食料品、洗剤、化粧品など）
②耐久財（自動車、時計、家電など）
③サービス（ホテル、金融など）

（2）用途別分類

①生産財（工作機械、トラック、タイヤ、パルプ、燃料など）
②消費財（小売り等を中心に販売しているもの）

⑴物理的特性による分類

①非耐久財……1回あるいは数回の使用で消費される有形のものです。短期間で消費され、また頻繁に購入されるので、利幅は低く、積極的な広告が必要になります（歯磨き粉、蛍光灯、食料品など）。

②耐久財……何回も使用することができ、長期間使用される有形のものです。利幅は大きく、人的販売や保証、アフターサービスなどが必要になります（家具、電化製品、自動車など）。

③サービス……無形で、生産と消費が同時に行われ、いったん提供されると返品ができないものです。十分な品質管理が必要になります（経営コンサルティング、ホテルなど）。

2-3 製品の分類とプロダクトミックス②

引き続き、製品の分類について見ていきましょう。

(2)用途別分類

製品は、用途別分類により、生産財と消費財の2つに分類されます。

①生産財……生産によって利益をあげるために企業で消費・使用するもの

②消費財……生活等のために最終消費者が消費するもの

(3)消費者の購買特性による分類

消費財は、消費者の購買慣習により、以下の3つに分けられます

①最寄品……購買頻度が高い品物で、低価格で習慣的に身近な店で購入する生活必需品

(例：食料品、日用品など)

②買回品……購買頻度は低く、計画的で購入も比較検討で決めるような製品(例：服、本、

消費者の購買特性による製品分類

分類	特徴
最寄品	習慣的購買 高い購入頻度 製品に関する高い事前知識
買回品	比較購買 低い購入頻度 製品に関する低い事前知識
専門品	ブランド指名買い 低い購入頻度 製品に関する高い事前知識

CD、カバンなど）

③**専門品**……購買頻度はきわめて低い高価格品で、計画的に購入される製品（例：自動車、家具、電化製品など）

〈プロダクトミックス〉

①**幅**……製品ラインの数

②**長さ**……プロダクトミックスに含まれる全アイテム数

③**深さ**……製品ごとの種類数

④**一貫性**……各製品ラインの製品の機能面、流通経路などにおける関連性

この4つの視点から、前章までで設定されたマーケティング戦略（STP）に基づいた、プロダクトミックスを作成し、多様化する消費者ニーズに対応させせます。

2-4 プロダクトライフサイクル

【ポイント!】導入期~成長期が最もキャッシュアウトが増える反面、この玉がなければ将来の収益の源泉も頭打ちになる。成熟~衰退期に全製品が集中依存する前に、体力のあるうちに種まき投資で常に新陳代謝を促そう!

市場に導入された新製品の売上高は、通常4つの期間でS字に変化します。この製品の導入から衰退までの一連の流れを**プロダクトライフサイクル**と言い、それぞれの段階ごとのマーケティング戦略を明らかにすることができます。4つの期間は以下のとおりです。

①**導入期**……需要が小さく、新製品の認知度を高め、市場を開発することを目的とするため、マーケティング費用がかかり、利益は生み出しにくい段階です。

②**成長期**……需要が大きくなり、売上高も急速に増大します。製品が認知され、市場も拡

プロダクトライフサイクル

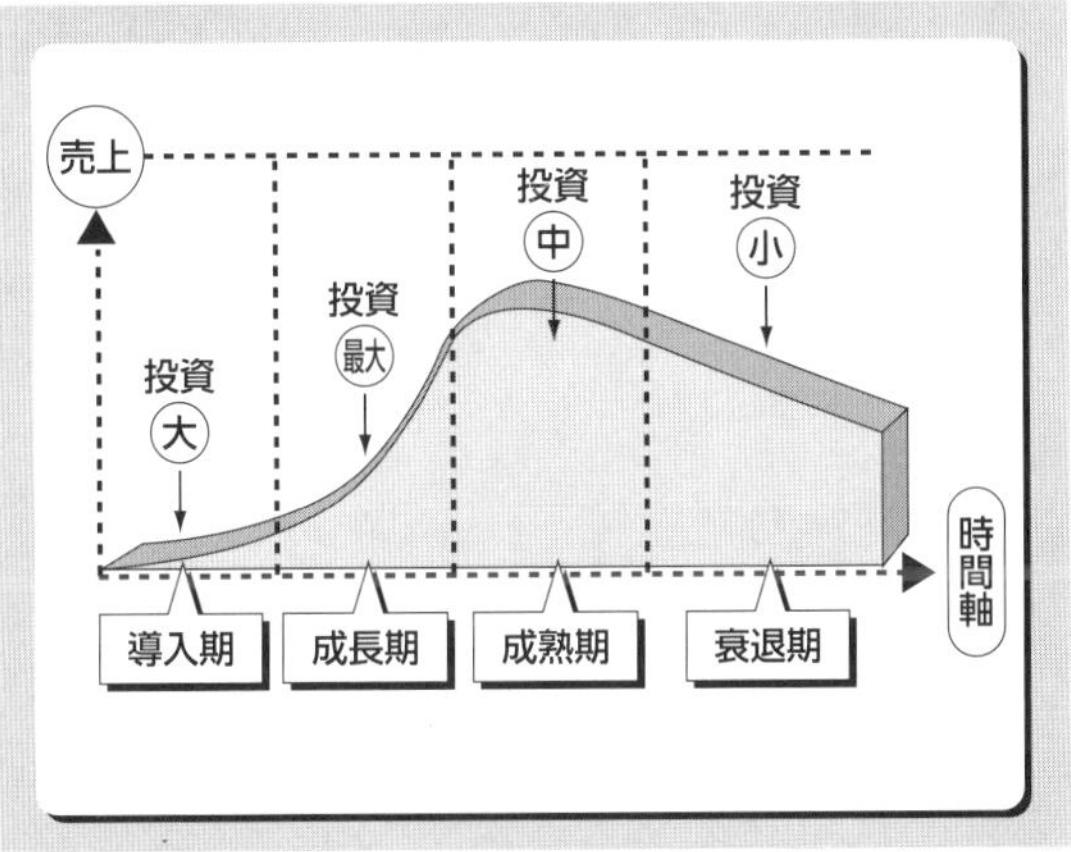

大しますが、それだけ競争も激化します。新製品の投資分も回収段階に入ります。

③成熟期……消費者の大半が購入済みとなり、市場は飽和状態となり、売上高の増加が停滞・低下します。製品の機能より、プロモーションや包装などで差別化を図ります。

⑤衰退期……売上高と利益が急速に減少する時期です。撤退か継続か、判断するなどの新たな戦略が必要となる時期です。

一方、プロダクトライフサイクルは、すべての製品に当てはまるわけではなく、普及も衰退の流れも急激な流行商品も存在します。最近では、技術革新のスピードや消費者ニーズの移り変わりの速さから、サイクルの周期が短くなっています。

2-5 プロダクト・ポートフォリオ（PPM）

【ポイント！】①金のなる木で得たキャッシュを、③問題児への投資に充てて②花形製品に育てるために積極的な投資を行い、将来的には①金のなる木に成長させよう。

企業の経営資源は限られているため、複数ある製品／事業を最適に組み合わせ、経営資源を有効に配分する必要があります。この製品／事業の組み合わせを最適化させるための考え方が**プロダクト・ポートフォリオ・マネジメント（PPM）**です。

PPMは、横軸に「**相対的マーケットシェア**」の高低をとり、縦軸に「**市場の成長率**」の高低をとって、4事象のマトリックスをつくります。

①金のなる木……相対的マーケットシェアが高いため資金の流入が大きく、また市場成長率が低いため、資金の流出は少なくてすみます、

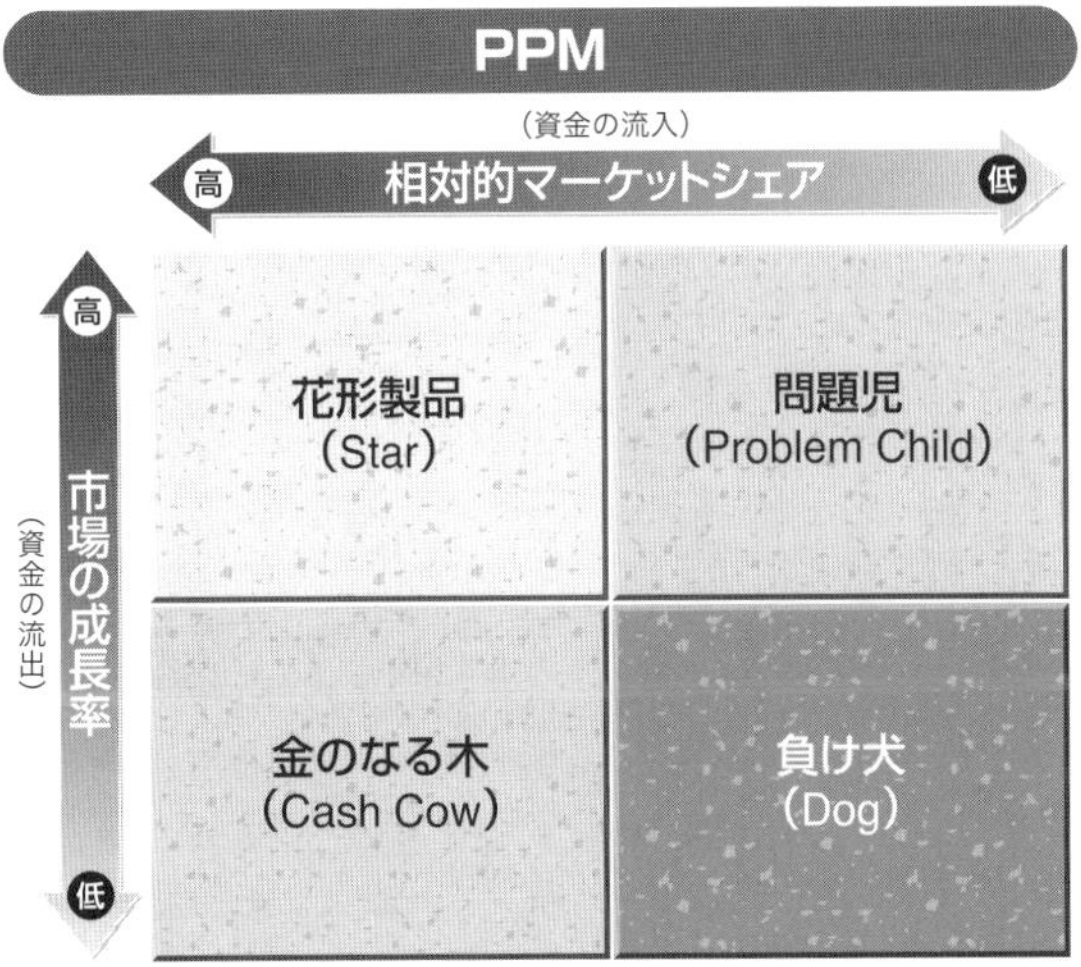

②花形製品……相対的マーケットシェアが高いため資金の流入は大きい一方、市場成長率が高いため、資金の流出も大きくなります。

③問題児……相対的マーケットシェアが低いため資金の流入は小さいが、市場成長率が高いため資金の流出は大きくなります。

④負け犬……相対的マーケットシェアが低いため資金の流入が小さく、また市場成長率が低いため、資金の流出は少なくてすみます。

ＰＰＭによる製品／事業ミックスは、①で得たキャッシュを②への投資に充て、③に育て、積極的な投資を行ってシェアを高め、将来的には①に成長させる、というのが理想となります。

2-6 製品陳腐化政策

【ポイント！】特に成長期の製品群の新製品・改良品の機能的陳腐化サイクルは短く早い。差別化が難しく、かつ成熟市場へ行くに従い、心理的陳腐化へ移行していく。この製品開発にかかる費用対効果を認識した上で、自社の製品開発政策を考えよう。

製品自体が劣化したり、新しい機能を備えた新製品が発売されたりすると、製品は自然に陳腐化します。企業は製品を廃棄し買い替え需要を促進する必要が出てきます。

一方、このような陳腐化を計画的に行い、消費者の取替需要を喚起する政策というものもあり、これを**計画的陳腐化**といいます。計画的陳腐化には、以下の3つがあります。

①**物理的陳腐化**……ある程度の期間で、製品が故障するような耐久性の低い設計にし、耐用年数を短縮させ、計画的に既存製品を陳腐化させます。

計画的陳腐化

分類	具体例
物理的陳腐化	耐用年数が短くなるよう製品を設計
機能的陳腐化	機能のグレードアップ
心理的陳腐化	デザイン・スタイルの刷新

②**機能的陳腐化**……既存製品より優れた機能や新しい機能を追加した製品を市場導入することで、既存製品の価値を低下させます。

③**心理的陳腐化**……製品の機能上の改良はないが、デザインやスタイル、包装などの外観上の新しさを盛り込んだ製品を導入し、既存製品価値を低下させます。

計画的陳腐化は、新たな需要を喚起して企業の収益の向上に貢献するため、重要な概念であると言えます。しかし一方で、資源の無駄遣いという批判もあります。また、自社の意図とは別に、ライバルが積極的に技術革新や高機能化を進めていくと結果的に陳腐化が進むため、ポジショニングを見直し、同じ土俵で戦わない工夫をする場合もあります。

2-7 ブランド戦略①　～ブランドの役割と機能その1～

【ポイント！】私たちが普段使う「ブランド」という言葉の定義を見極めよう。そして、ブランド構成要素を考え、どのような一貫した政策を実行していくかを検討しよう。

■ブランドとは

よく耳にする「**ブランド**」という言葉ですが、この「ブランド」とは何を意味しているのでしょうか。アメリカマーケティング協会の定義によると、「**ある売り手あるいは売り手の集団の製品およびサービスを識別し、競合相手の製品およびサービスと差別化することを意図した名称、言葉、サイン、シンボル、デザイン、あるいはその組み合わせ**」と定義され、この定義は非常に広く認識されています。つまり、このブランドは、消費者の

ブランドの資産価値と購買モデルの関係

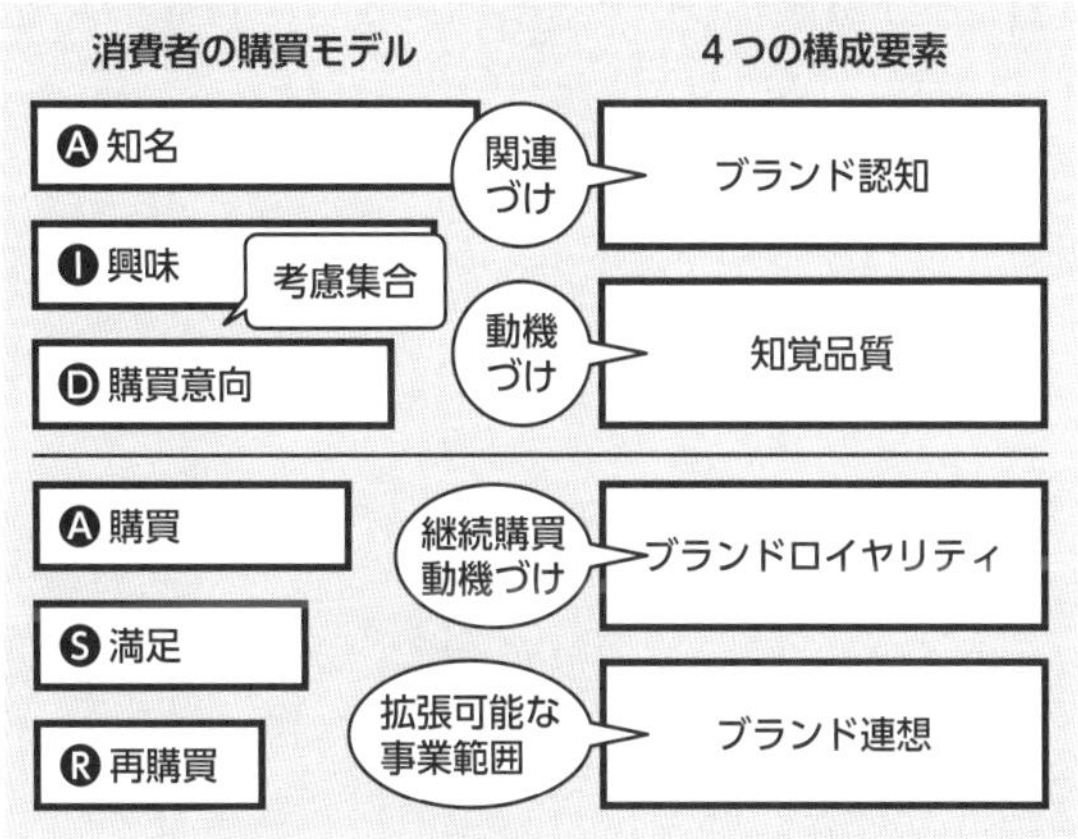

「**製品に対する忠誠心**」を高め、他の製品と差別化させ、商品を識別するための目印としての役割を担っていると言えます。

■ブランドを構成する要素

ブランドを構成する要素としては、狭義と広義で把握することができます。

まず、狭義のブランドを構成する要素として、主に以下のものが挙げられます。

①ブランド・ネーム

製品のコンセプトや主要な連想を簡単に表現することができる、効果的かつ重要なコミュニケーション手段です。

2-8 ブランド戦略② ～ブランドの役割と機能その2～

②ロゴ・シンボル

ブランドのビジュアル的要素は製品の識別を容易にしたり、非言語的であるがゆえに国や文化の違いを超えて普遍的に使用できる、という利点があります。

③キャラクター

架空あるいは実在の人物をかたどったフランド・シンボルの特別なタイプで、ブランド認知を向上させたり、好意的なブランド知覚を形成する上で効果を発揮します。

④スローガン

ブランドに関する記述的・説得的情報を伝達する簡潔なフレーズであり、当該ブランドの意味を生活者に伝達する上で有用です。

⑤ジングル

ブランドを構成する要素

❶ブランドネーム	製品のコンセプトを簡潔に表現
❷ロゴおよびシンボル	会社名やサービス名をビジュアル化。識別を容易にする
❸キャラクター	人物等をビジュアル化したもの。好意的なブランドを形成
❹スローガン	ブランドに関する記述的・説得的情報を伝達する簡潔なフレーズ
❺ジングル	音楽によるメッセージ。ブランド認知を向上させる
❻パッケージング	製品の容器や包装をデザイン・制作する活動。情報の伝達が可能

音楽によるメッセージであり、ブランド認知を高める上で最も効果的であると考えられています（例　インテルのコマーシャル）。

⑥パッケージング

製品の容器や包装をデザイン・制作する活動であり、ブランドの識別や記述的・説得的情報の伝達等を目的としています。

一方、企業がブランド・マネジメントを行う上では、あらゆる生活者との接点をブランド構成要素として認識することが重要になります。つまり、広義のブランド構成要素として、顧客に関わる企業活動のすべて、4P（「製品・サービス（product）」「価格帯（price）」「広告やPR（promotion）」「店舗や営業マン（channel）」が含まれます。

2-9 ブランド戦略③　～ブランドの分類と拡張～

ブランドはいくつかの階層に分かれており、それらの構造を理解することはブランディングを行う際に非常に重要になってきます。

①**グループブランド**……企業グループ全体の統一ブランド
②**コーポレートブランド**……各企業を表すブランド
③**事業ブランド**……事業単位ごとのブランド
④**カテゴリーブランド**……製品グループやあるサービス分野をまとめたブランド
⑤**個別商品**（商品ネーミングもしくは商品ブランド）……製品単位ごとのブランド

企業に関わるブランドは整合性が取れていることが前提になります。異なる種類のブランドイメージを共有させることは、全体のイメージ低下につながります。

また、すでに確立されているブランド・ネームを用い、商品のラインを広げたり、カテ

ブランドの階層

①グループブランド	企業グループ全体の統一ブランド
②コーポレートブランド	各企業を表すブランド
③事業ブランド	事業単位ごとのブランド
④カテゴリーブランド	製品グループや、あるサービス分野をまとめたブランド
⑤個別商品 商品ネーミングもしくは商品ブランド	製品単位ごとのネーミング

ゴリーを拡張することを**ブランド拡張**といい、一般に「**ライン拡張**」と「**カテゴリー拡張**」の2つに分類できます。

ライン拡張では、既存のブランドと同一カテゴリー内で、新たな市場セグメントをターゲットとして新商品を投入する際に、既存のブランドを用いることです。たとえば、コカコーラの「コークライト」及び「ダイエットコーク」など（カテゴリーブランド）。

カテゴリー拡張では、異なる製品カテゴリーへ参入する際に、すでに構築されているブランドを用いることです。たとえば、レコード店で認知されている「ヴァージン」の航空機や携帯電話などがあります（グループブランド）。

第3節　価格政策

3-1 価格の本質

【ポイント!】需給で価格を決めるな! ニーズの程度と競合代替比較、消費者行動を総合的に判断しよう。

価格政策は非常に重要です。なぜなら、消費者は目の前に自分のニーズを満たす製品が存在していても、最終的にはその製品につけられた価格を考慮して購買を決定するからです。もう1つ、企業からの視点から見た価格の意味があります。それは利益を直接創出するという意味です。価格設定の巧拙によって、企業の売上高、コスト、利益、それぞれの金額が変わってくるため、やはり価格政策は重要であると言えます。

「価格は需要と供給の関係で決定される」というのをよく聞きます。これはミクロ経済学の理論で言われているものです。すなわち、「需要>供給」の場合は価格が上昇し、「需要

価格の本質

視点		意味
消費者	・・	価値を顧客へ表示する
企業	・・	利益を直接創出

不完全競争市場における価格への影響要因

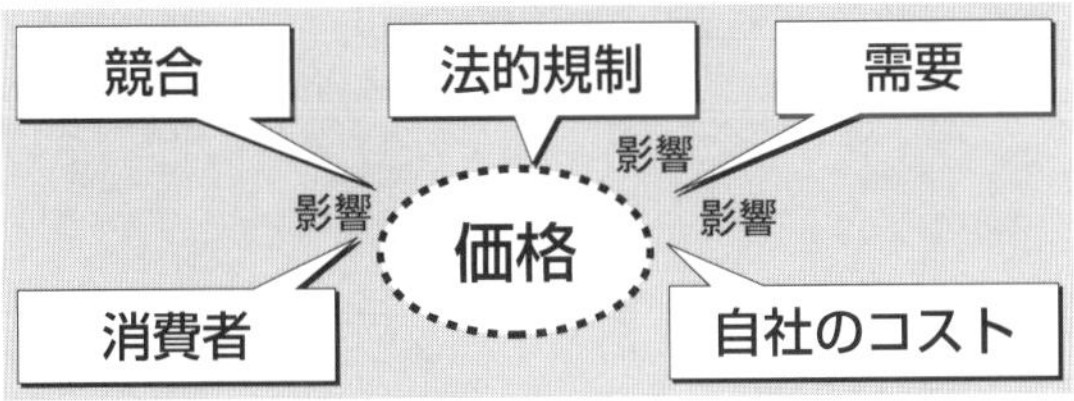

＜供給」の場合、価格は低下するというものです。価格が安すぎれば、売り手は売り惜しみをし、買い手は殺到して値をつり上げ、反対に価格が高すぎれば、売り手が殺到し、買い手不在のままに見切売りをせざるを得ません。このように理論上は、需要と供給が一致する点で価格が決まります。しかし、消費者が商品の品質と価格について完全な情報・知識を有していること、製品が均質であること、消費者は経済的合理性を追求して購買する、という前提に立っています。

　現実の不完全競争状態では、価格は、需要の動向、競合企業の動向、消費者の価値観、消費者行動、自社のコスト、法的規制などの要因によって決定されます。

3-2 価格の設定方法

【ポイント！】コストプラス、競争志向の実勢型価格設定ありきで価格を決めるな。

企業は様々な要因を考慮に入れて製品の価格政策を検討しなければなりません。一般的に考慮しなければならないとされているのは、**コスト**、**需要**、**競争**の3つです。それぞれの視点から見た具体的な価格の設定方法を見ていきましょう。

(1)コスト志向の価格設定法

①**マークアップ価格設定**……流通業者が仕入原価に値入額を上乗せし、売価設定します。

②**コストプラス価格設定**……製造業者が総費用にマージンを上乗せして売価決定します。

③**目標価格設定**……想定される事業規模で一定の利益が確保できるように価格設定します。

(2)需要志向の価格設定法

価格の設定方法

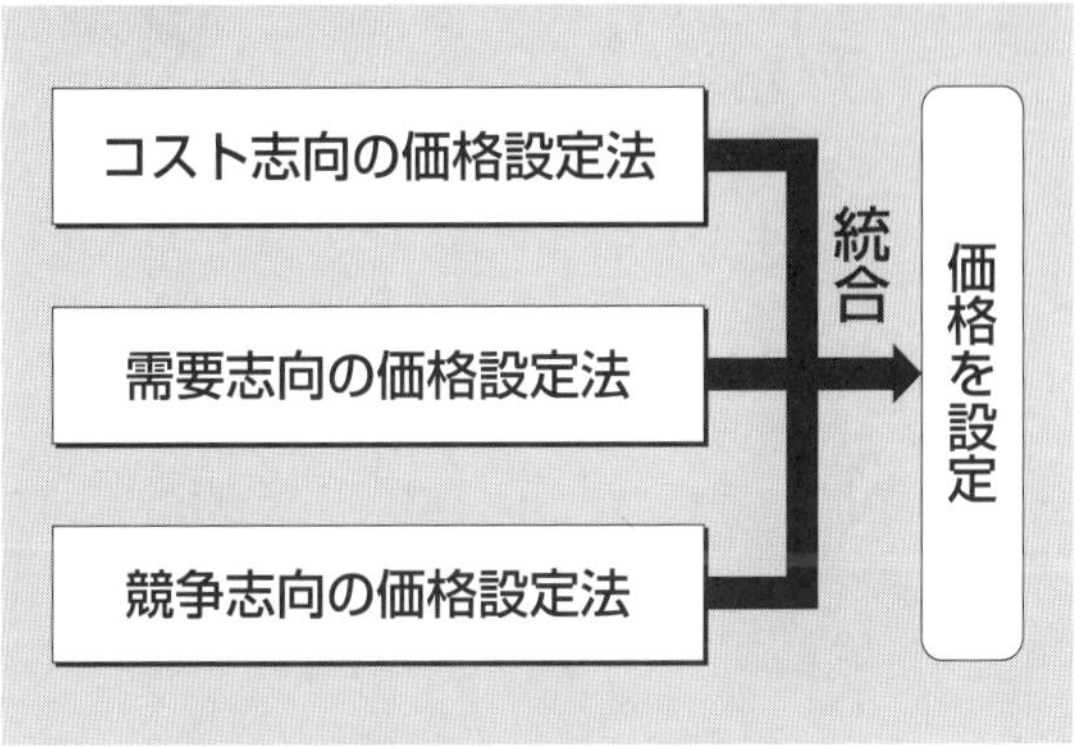

①心理的価格設定……消費者の価格への認識を意識して価格設定を行います。

②需要価格設定……顧客層や時季などの市場セグメント毎に価格を変化させ、セグメントに合った価格設定をします。

(3)競争志向の価格設定法

①実勢型価格設定……競合相手の価格と比較して製品の価格を設定します。

②入札価格設定……注文や請負契約のように入札で受注を決め、価格も設定します。

　現実的には、コスト、需要、競争という3つの視点を統合し、価格の設定が行われます。

3-3 価格政策の落とし穴と新たな概念①

【ポイント!】最終的には、持続可能性。「価値」ベースのプライシングなしには、小手先の価格政策は失敗する。

これらの複数を参考にして、最終的に価格が決まることになりますが、それぞれの方法においても落とし穴があります。

コスト志向の目標価格設定や競争志向の実勢型価格設定をベースに、「売上げが目標に届かない」という理由で安易に「価格を下げてその分2倍の量を売ろう」といった類の表面的かつ反射的、博打的な施策はほとんどの場合失敗するだけでなく、以前よりも利益構造を大幅に悪化させます。「20％の価格引下げは貢献利益を50％減らすこともあり得る」と言われるほど、価格の設定は重要なのです。

顧客価値を起点とした価格設定

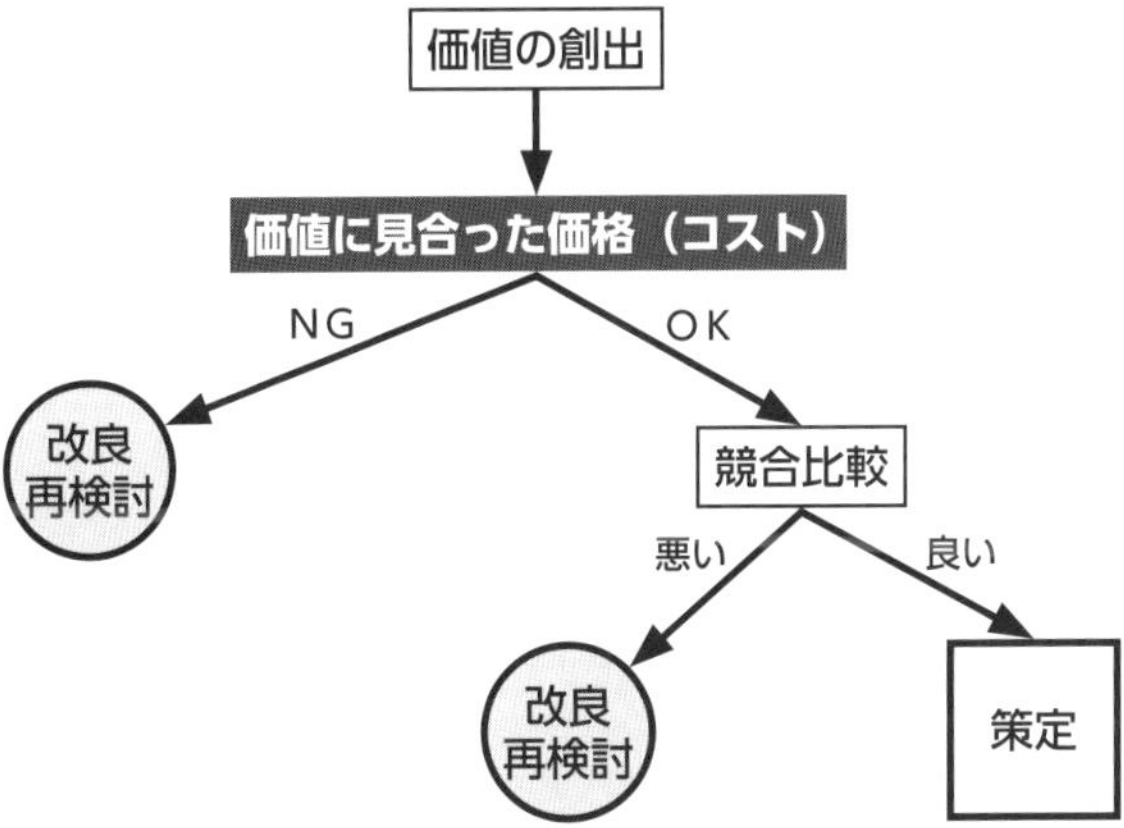

その他、最近では「価値がコストを決定するのであって、その逆ではない」という「**顧客価値を起点にした価格設定**」という考えが主流になりつつあります。

■価値ベースのプライシング

顧客の製品に対する認識された「価値」（顧客視点における本質的な価値）をベースに組み立てるべきで、万が一その価値とコストが合わないのであれば、その製品は「出すべきでない」（コストプラスで価格を上げるべきではない）というものです。

3-4 価格政策の落とし穴と新たな概念②

ハーバードビジネススクールのドーラン・ロバート・ジュニアらは、従来型の「コスト積み上げ（コストプラス型価格設定）」から脱却し、「顧客価値を起点して行われるプライシング」を実践できる組織および個人（パワー・プライサー）への転換を奨励しています。「顧客が認知する価値」をベースにするということは、すなわち①競争環境の分析（持続的な競争優位の源泉と差別化の把握）、および②顧客分析（セグメンテーションごとのニーズと対象製品、価格弾力性と支払い能力などの把握）を大前提として把握しておく必要があるということです。

驚くほどの半導体チップ、固有技術や機能の入っていないiPhoneが高価格でシェアを獲得しています。それは高機能よりも、コトラーの製品のレベルの5次元目にあたる使用イメージや使用スタイルを啓蒙させるプロモーションと、それに合ったデザインや操作性

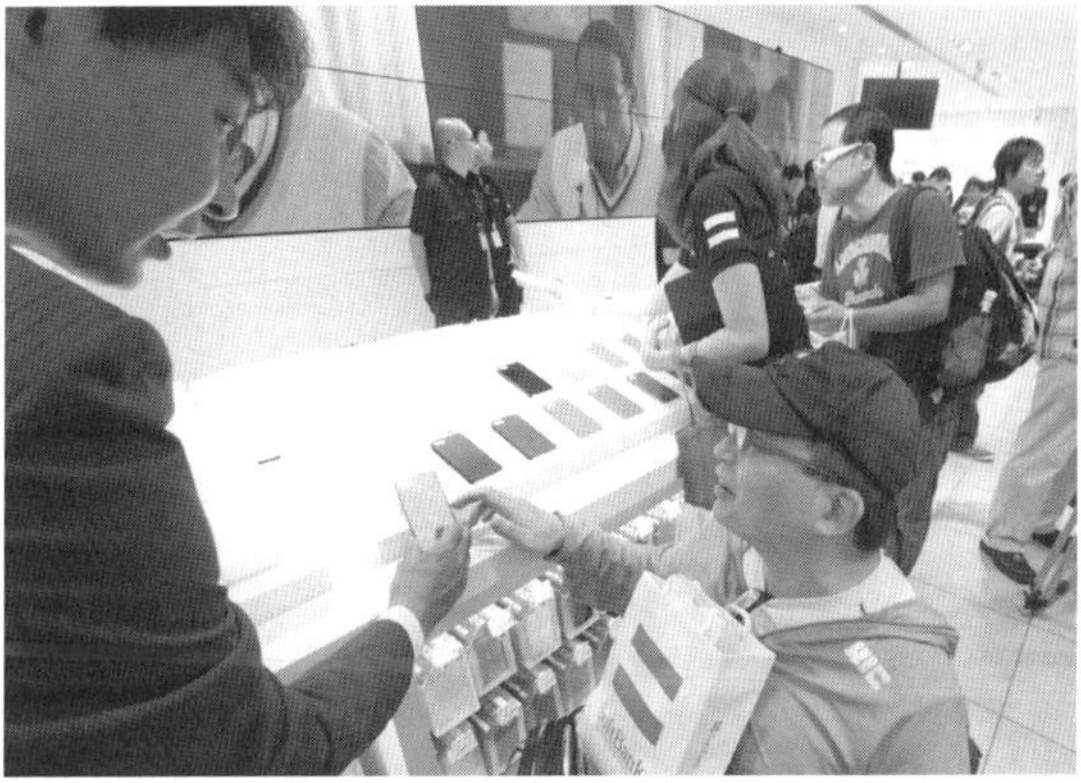

人気商品の iphone だがライフサイクルからは逃れられない

という全体設計が利用者にとっての価値につながったものと考えられます。

ただし、すべての製品にはライフサイクルがあります。アップルが啓蒙する使用スタイルが「当たり前」になったとき、新たな使用イメージや生活スタイルを提案できない限り、iPhoneも過去のガラパゴスケータイや低価格スマートフォンと同様コモディティ化し、価格も利益率も下がり、機能設計を変える製品投入サイクルも遅くなってくるでしょう。

ますます製品のコモディティ化が進み、グローバル化により市場競争が激しく差別化が困難な時代を迎える中、価格政策の成否は製品や事業、ひいては会社の運命を左右すると言っても過言でありません。

3-5 新製品の価格設定方法

【ポイント！】ライフサイクルの中での価格の変化と利益の回収方法を検討しよう。

次に、新製品導入時における価格の設定方法について述べます。その方法は、製品開発にかかった多額のコストを早期に回収するために最初から高い価格を設定する**上層吸収価格政策**と、導入時に多くの消費者に購入してもらい、マーケットシェアを高めるために最初から低い価格を設定する**市場浸透価格政策**の２つがあります。

①上層吸収価格政策（スキミング・プライシング）

市場への導入時に高価格を設定し、早期に新製品開発コスト等のコスト回収を狙いとします。市場の拡大に伴って価格を下げていくのが通常です。しかし、どのような製品にでもこの方法が適用できるわけではありません。製品差別化が図れ、価格弾力性が小さく、

新製品の価格設定方法

	目的	価格	条件
上層吸収価格政策	開発コストの早期回収	高価格	価格弾力性が小さい少量生産の対象となる製品
			参入障壁が高い製品
市場浸透価格政策	マーケットシェアの早期拡大	低価格	価格弾力性が大きい大量生産の対象となる製品
			幅広い需要がある製品

少量生産の対象となる製品に適しています。また高額所得者の潜在的ニーズがあり、競合が簡単に真似ができないような製品でなければ、適用は難しくなります。

②市場浸透価格政策（ペネトレーション・プライシング）

市場への導入時に低価格を設定し、新製品の市場普及を迅速に促し、早期のマーケットシェア拡大を狙いとします。幅広い需要があり、価格弾力性が大きく、大量生産によるコスト低下によって低価格が実現できる製品に適しています。

3-6 心理的価格

【ポイント!】基本的な政策として価値ベースで価格を検討しながらも、施策レベルで心理的な影響を与えられ得るテクニックを検討しよう。

価格の設定においては、消費者の心理的な反応を考慮に入れることも重要です。消費者の心理的な反応を捉えて価格を設定することを**心理的価格設定**といいます。以下に、代表的な心理価格を紹介します。

①段階価格

段階的なプライスラインを設定することです。高級品、中級品、普及品といった具合で、消費者はそれを見て予算に応じて、製品選択をします。この政策は同一製品系列における品目数が多く、価格の幅が広い製品に適しています。

心理的価格

段階価格	高級品	80,000円	
	中級品	50,000円	
	普及品	30,000円	
名声価格	ブランド品	300,000円	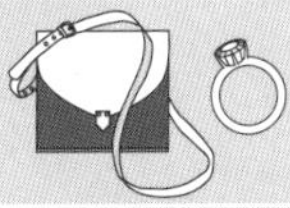
端数価格	特価品	19,800円	
慣習価格	缶ジュース	120円	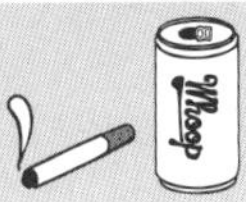
	タバコ	410円	

②名声価格

消費者は価格によって品質を評価する傾向にあり、製品の名声を意識して価格を設定します。消費者が製品の価値を十分に評価できないブランド品や骨董品などでは、むしろ価格が高いほうが、高品質であることを評価し、売れる場合があります。

④端数価格

98円や19800円など端数をつけて値引き感を強調するように価格を設定します。

④慣習価格

昔からある製品で、慣習的に価格が固定化されている価格をいいます。缶飲料などが該当し、価格を上げると急激に需要が減退する傾向があります。

3-7 価格の調整

【ポイント!】基本的な政策として価値ベースで価格政策は変更すべきではない。しかし、その範囲内で実行可能な販促施策を検討しよう。

ある目的に従って価格を調整する方法は大きく分類すると次の5つがあります。

①**地域別価格設定**……異なった地域の顧客に対する価格設定です。

②**割引とアローワンス（報奨）**

(a)**現金割引**……支払を早く行ってくれる買い手に対して行う価格割引

(b)**数量割引**……一度に大量購入する買い手に対して行う価格割引

(c)**季節割引**……季節外れの商品を購入する買い手に対する価格割引

(d)**機能割引**……流通チャネルに対し、それぞれの特定の機能に従って行われる割引

価格の調整

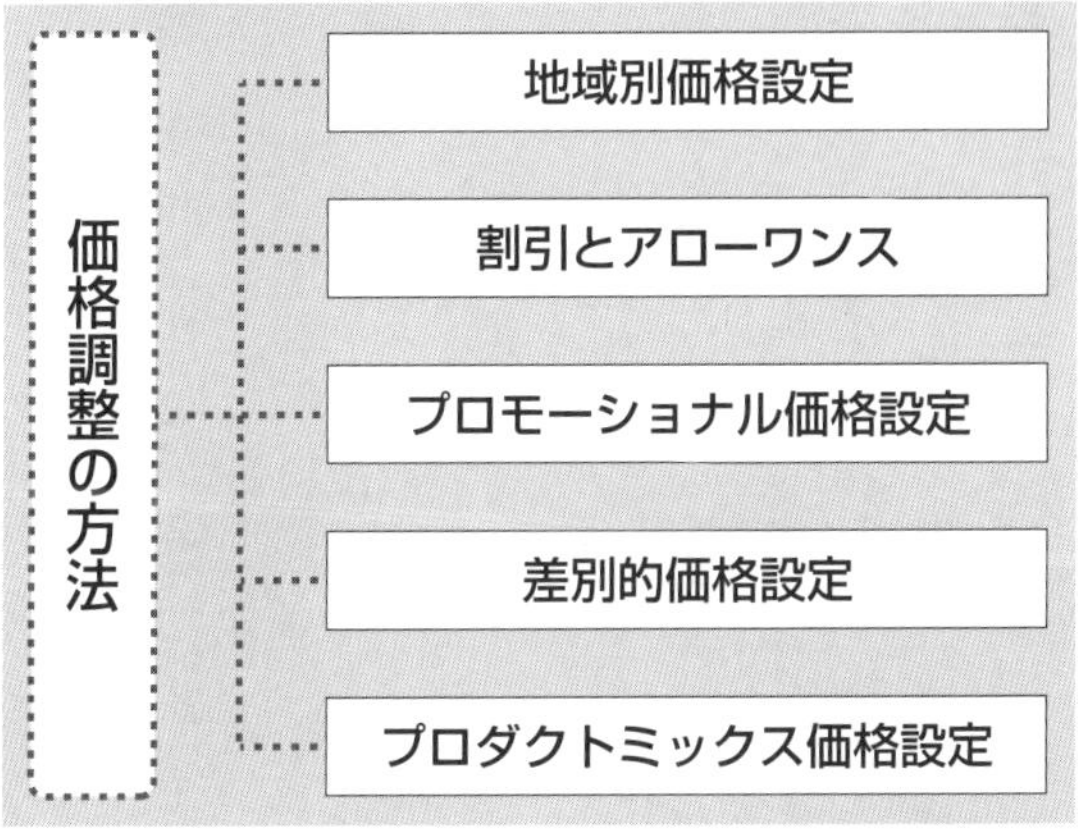

(e)**アローワンス**……小売業に対する、販売促進支援プログラムへの参加の報奨など。

⑤**プロモーショナル価格設定**……プロモーション的効果を狙った、一時的な価格調整。

⑥**差別的価格設定**……顧客のタイプ、製品、立地などによって価格を調整するもので、同一製品やサービスに複数の価格が設定されます。携帯電話料金の学生割引による差別価格や時期による海外旅行代金などがあります。

⑦**プロダクトミックス価格設定**……当該製品が、ある製品ミックスの中の製品の一部であるとき、価格を調整することが考えられます。前述の心理価格における段階価格によるプライスラインの設定やセット価格を提示する組み合わせ価格設定も該当します。

第4節　チャネル政策

4-1 チャネル〈流通経路〉とは

【ポイント!】チャネルの役割は1つ物の移動だけではない。それぞれの機能を考え、最適な構築を検討しよう!

メーカーで生産された製品は、様々な経路をたどって、最終的には消費者に届けられます。チャネルとは、製品やサービスが製造業者から最終消費者まで流れるその流通経路のことをいいます。この流通業者の中で機能している業者のことを流通業者といいます。

では、もう少し具体的にいうと、流通とはどういう意味があるのでしょうか。

流通には、①**商的流通**、②**物的流通**、③**情報流通**の3つがあります。

①**商的流通**……「所有権」が移動していく流れ、つまり取引の流れのことをいいます。

②**物的流通（物流）**……モノが移動する流れのことをいいます。

流通の3つの意味

商的流通	「所有権」が移動する流れ（取引の流れ）
物的流通	「モノ」が移動する流れ
情報流通	「情報」が移動する流れ

例　所有権・モノ・情報の流れ

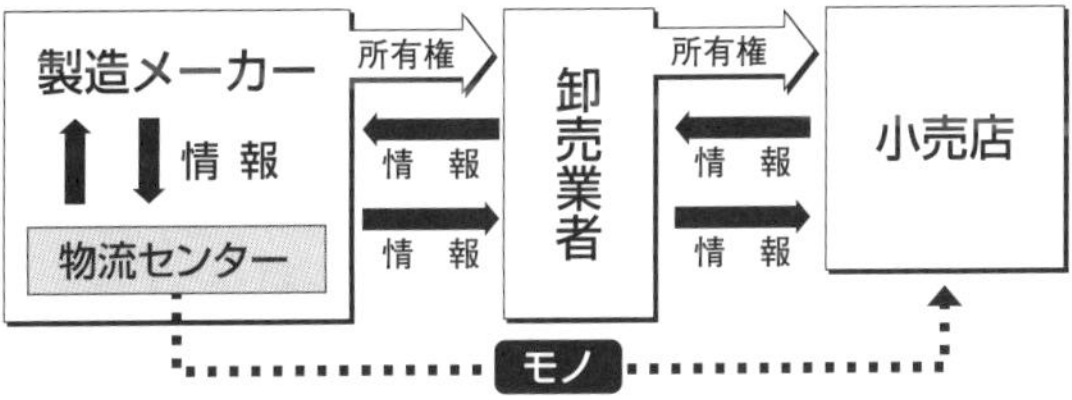

③**情報流通**……情報が移動する流れのことをいいます。

たとえば、「パソコン販売店が、販売在庫がなくなったため、卸売業者にパソコンを発注するケース」を考えます。卸売業者は、製造メーカーに発注し、それを受けメーカーが、指定されたパソコンを卸売業者に販売します。そして卸売業者は、パソコン販売店に指定されたパソコンを販売します。その際、パソコン自体は、メーカーの物流センターから、直接パソコン販売店に届けられるとします。このような通常の取引には、商的・物的・情報流通の要素すべてが含まれています。

4-2 チャネルの機能

チャネルは、製品を生産者から最終消費者へ移動させるのに必要な業務を行います。そして生産と消費を円滑につなぐ働きをしています。生産と消費を円滑につなぐためには、時間的、場所的、所有的隔たりを埋める必要があります。代表的なチャネルの機能は以下のとおりで、前項の3つに加えて、金融を含むその他機能が挙げられます。

■商的流通機能

①所有権移転機能（所有の隔たりを埋める）

■物的流通機能

②輸送機能（場所的ギャップを埋める）
③保管機能（時間的ギャップを埋める）

■情報流通機能

チャネルの機能

商的流通機能	所有権移転機能	
物的流通機能	輸送機能	保管機能
情報流通機能	販売促進機能	情報収集、伝達機能
その他の機能	金融機能	危険負担機能

中間業者による取引数削減効果

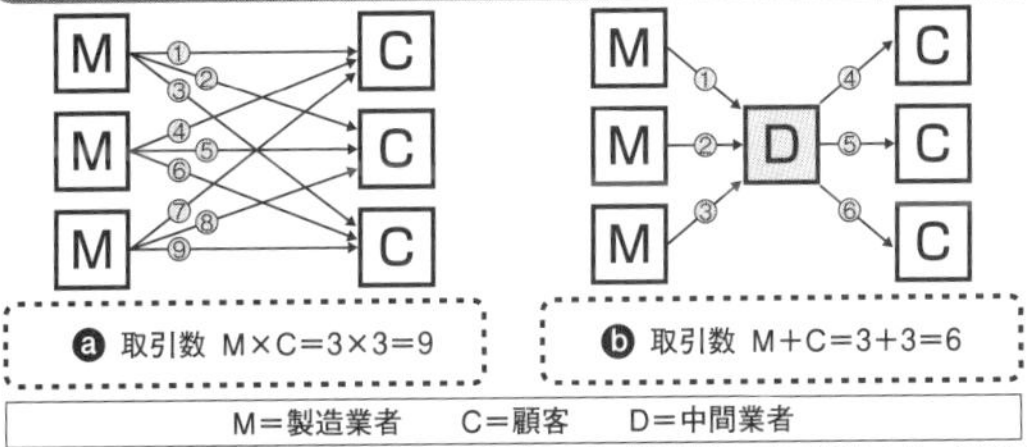

出所：P・コトラー著「マーケティング・マネジメント（第7版）」プレジデント社、1996年

④販売促進機能

⑤情報収集・伝達機能

■**その他の機能**

⑥金融機能（在庫保有に必要な資金の調達と分配）

⑦危険負担機能（在庫リスクを負担）

　また中間業者をなぜ活用するのか考えたことがあるでしょうか。卸売業などの中間業者を活用することにより、小売業者と製造業者との間で行われる総取引回数は減少します。中間業者が介在することによって、取引の効率化が図られることになります。

　逆に言えば、このような効率化が見込めない取引については、直接取引などチャネル政策全体を見直す必要があると言えます。

4-3 チャネル段階の数（長さ）

【ポイント！】製品の分類により、最適なチャネル段階の数を考えよう。

チャネルの分類方法は次の3つがあります。つまり、**長さ（マーケティング経路の段階数）**、**幅（流通業者の利用数）**と**結合（川上企業と川下企業の結合方法：垂直的マーケティングシステム）**による分類があります。

まず、チャネル段階の数（長さ）による分類について見てみましょう。製品とその所有権を消費の地点へ移動するために何らかの役割を担う1つの中間業者が、チャネル段階を構成します。この場合、生産者と消費者は必ず存在するため、チャネルの段階の数には数えず、中間業者の段階数だけでチャネルの長さを表示します。

①**無段階チャネル**……ゼロ段階チャネルは、ダイレクト・マーケティング・チャネルとも

チャネル段階の数（長さ）

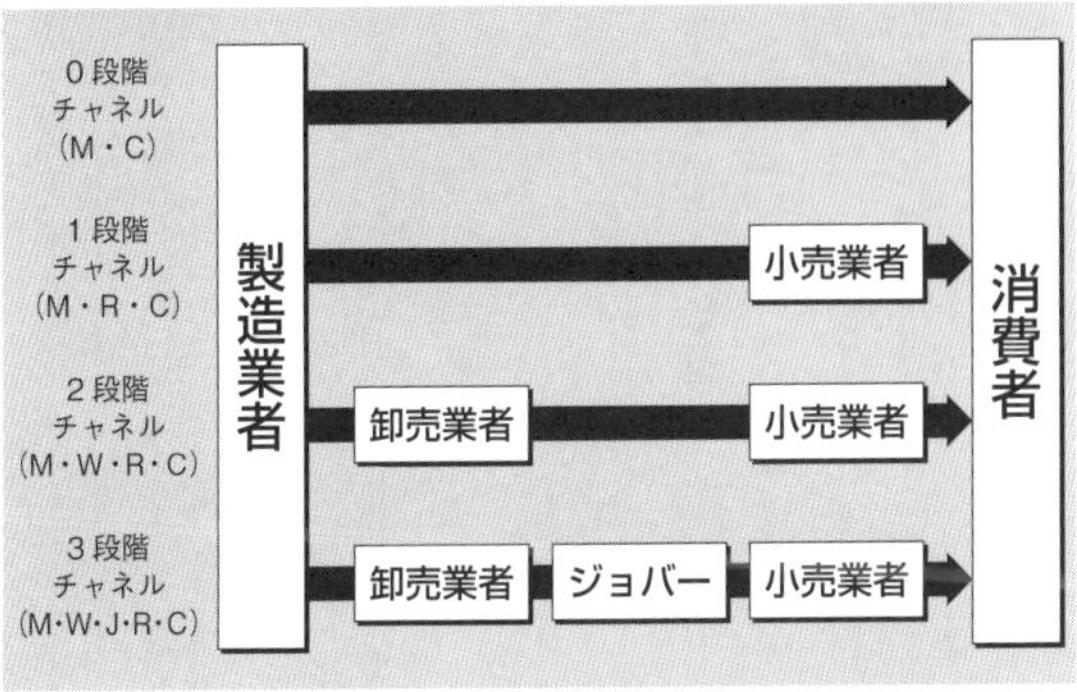

出所：P・コトラー著「マーケティング・マネジメント（第7版）」プレジデント社、1996年

呼ばれ、製造業者と消費者が直接取引を行う経路のことをいいます。インターネットによるネット通販などが該当します。

②**一段階チャネル**……製造業者と消費者の間に、消費財の場合は小売業者、生産財の場合は代理商など、1つの中間業者が存在する経路のことをいいます

③**二段階チャネル**……製造業者と消費者の間に、卸売業者と小売業者が存在している経路のことをいいます。

④**多チャネル**……製造業者と消費者の間に、卸売業者2つ以上と小売業者が存在している経路のことをいいます。最寄品に多い経路で、二次卸が介在し、大手卸売業者が直接売ってくれない小売業者への販売を行ったりします。

4-4 流通業者の数（幅）・結合による分類

【ポイント！】売上増大とブランド維持。この2つのバランスを考え、チャネルの幅と垂直統合の程度を考えよう！

次は、流通業者の数、つまりチャネルの幅による分類で以下の3つに分類されます。

①**開放的チャネル政策**……中間業者数の限定をせず、取引を希望するすべての販売業者に流通させる経路をとる政策です。目的は、中間業者の最大化によって売上を増大することです。中間業者の協力は期待できず、プロモーションは、広告が中心となります。

②**選択的チャネル政策**……資格条件に合致した販売先にのみ製品を流し、数を最適にする政策です。目的は中間業者を限定することによる売上の安定化にあります。中間業者の協力が期待でき、プロモーションは人的販売が中心となります。

流通業者の数(幅)による分類

	開放的チャネル政策	選択的チャネル政策	専売的チャネル政策
目的	中間業者の最大化による売上増大	中間業者限定による売上安定	中間業者限定による売上安定
中間業者の数	多	少	極少
中間業者の協力	期待できない	期待できる	大幅に期待できる

③**専売的チャネル政策**……中間業者の数を特定の地域において1業者に絞り込み、その業者にのみ流通する経路政策です。

もう1つは、結合による分類で、これは**垂直的マーケティングシステム**と言われます。

①**企業システム**……資本的結合により、同一資本の下に製販の各段階が垂直統合されるシステムで、川下側に統合する**前方垂直統合**と川上側に統合する**後方垂直統合**、両方に統合する**混合垂直統合**があります。

②**契約システム**……独立企業が契約により結びつくシステムです（フランチャイズなど）

③**管理システム**……メンバーが自主性を保ちながら伝統的チャネルよりも強く結びつくシステムです。

4-5 チャネルマネジメント① ～チャネルパワー～

【ポイント!】チャネルを構築しても、実際に統制していくためにチャネルリーダーの権力（チャネルパワー）を理解しよう！

チャネルは設計されただけでは機能しません。チャネルマネジメントの第2のプロセスは、設計されたチャネルの実行です。実行の際には、チャネルリーダーの下で適切に管理されることが必要になります。チャネルメンバーの間には認識の相違などによってコンフリクト（対立）が起こるため、適切に管理してチャネルの団結力を保つ必要があります。

■**チャネルパワー**

チャネルの管理においてチャネルリーダーの役割・力関係が、チャネル全体の団結力に影響を及ぼします。**チャネルパワー**とは、そのようなチャネルリーダーのチャネル内にお

チャネルパワー

報酬パワー	チャネル構成員に報酬をもたらす能力
制裁のパワー	チャネル構成員に制裁を加える能力
正当性のパワー	チャネル構成員に指図・統制する当然の権利
一体化のパワー	チャネル構成員の一員として有する魅力
専門的知識のパワー	専門的知識力、情報力

ける統率力のことを言い、以下のものがあります。

①**報酬パワー**……チャネル構成員に報酬をもたらす能力

②**制裁のパワー**……チャネル構成員に制裁を加える能力

③**正当性のパワー**……チャネル構成員に指図・統制する当然の権利

④**一体化のパワー**……チャネル構成員の一員として有する魅力

⑤**専門的知識のパワー**……専門的知識力、情報力

チャネルリーダーは、このようなパワーを行使し、チャネルメンバーが適切な役割を果たすようコントロールする必要があります。

4-6 チャネルマネジメント② 〜チャネルコンフリクト〜

【ポイント!】チャネルは構築よりも維持が難しい。必ず起こるチャネル間の紛争を速やかに解消させる体制を整えよう!

一般に、一定の範囲内のチャネルが多すぎると、チャネル同士が自社製品の値引き競争を始めるなど、チャネル間の対立が激化し、かつ単価も下がってしまうことがあります。これを**チャネルコンフリクト**と言います。

このようなコンフリクトを放置することは危険です。それはすべてのチャネルメンバーが相互依存の関係にあるため、1人のメンバーの行動がチャネル全体に影響を及ぼし、チャネル全体の機能に障害を与える可能性があるからです。

チャネルコンフリクトには、図のような3つの種類があります。

チャネルの対立と競争

対立のタイプ	対立が起こる段階	事　例
垂直的対立	チャネル内の異なった段階のメンバー間で起こる対立。サービスや価格等。	●ゼネラルモーターズとディーラー ●コカコーラとボトラー
水平的対立	チャネル内での同一段階のメンバー間で起こる対立。サービスや品質。	●フォードのディーラー同士 ●ピザ・インのフランチャイズ加盟店同士
複数チャネル間対立	相互に競合する複数のチャネル間で起こる対立。既存のチャネルと新規のチャネルの関係。	●リーバイスと専門チャネル（量販店への拡大時、専門店が反対）

また、コンフリクトが生じる原因は、ゴールや認識の不一致、チャネルにおける活動及び責任の範囲に関する意見の相違、市場に対する認識の相違などが挙げられます。このようなコンフリクトの解決もチャネルリーダーの役割の1つです。まず、このコンフリクトの原因を考えてみると、目標の相違・役割認識の相違・現実理解の相違が挙げられます。

一般的なコンフリクトの抑制方法として、次の4つの方法があります。

①**超組織戦略**……第三者機関に制定を委ねる
②**相互浸透戦略**……相互に人事交流する
③**境界戦略**……対外折衝の外交官を置く
④**交渉戦略**……対症療法的な交渉で解決する

第5節　プロモーション政策

5-1 プロモーションとは

【ポイント!】広義のプロモーションと狭義のプロモーション（販促）を理解しよう。

前節までで、マーケティングミックスの4Pのうちの3つ、すなわち、ニーズを充足し、かつ差別的優位性のある「製品（product）」を創造し、「価格（price）」を設定し、それを買い手に円滑に提供するための「チャネル（place）」の構築の方法を見てきました。

しかし、どれだけ良いニーズで標的顧客に合致した商品でも、顧客にその情報を伝達しなければ、商品は売れません。そこで、商品の存在や効用、利点等を市場に様々な異なる媒体を組み合わせて伝達する役割を果たすのが4つ目のPである**「プロモーション（promotion)」政策**であると言えます。

当然プロモーションは、マーケティングミックスのうちの1つであるため、他のマーケ

プロモーションとは

プロモーションとは、
「既存及び潜在顧客へ情報を伝達すること」

プロモーション政策とは、

Who … ターゲットは誰か
What …どのようなメッセージを
When …実施のタイミング
How …どのように

を構築すること。

ティングミックスの3Pと整合性が取れていなければなりません。つまりwho（ターゲットは誰か）、what（どのようなメッセージを）、when（実施のタイミング）、where（実施する場所）、how（どのように）を他のマーケティングミックス、ひいてはマーケティング戦略全体との整合性を取りながら構築していくことだと言えます。

また、どのように（how）実施していくかは、具体的なプロモーション手段を検討することです。代表的な手段としては、**①広告**、**②パブリシティ**、**③販売促進**、**④セールスフォース（人的販売）**などがあげられます。これらを目的にあわせて組み合わせることを**プロモーションミックス**と言います。

5-2 プッシュ戦略とプル戦略

【ポイント！】製品とタイミングを考えプッシュとプルを使い分けよう！

プロモーションミックスを細かく考える前に、プロモーションに関する重要な概念があります。それは人的販売が中心の「**プッシュ戦略**」と広告が中心の「**プル戦略**」です。

①**プッシュ戦略**……メーカーから卸売業者へ、卸売業者から小売業者へ、小売業者から消費者へとチャネルの上流から下流に発信するプロモーションのことです。すなわち、チャンネルの上流から下流に向けて製品の取り扱いを促すことからプッシュ戦略といいます。

具体的には、メーカーは卸売業者に対して製品の説明、価格値引、財政援助などを行い、それを受け卸売業者は小売業者へ、小売業者は消費者に向け、自社製品を促し、着実な売上上昇を期待します。ブランド先行が高くない製品に適していると言えます。

プッシュ戦略とプル戦略

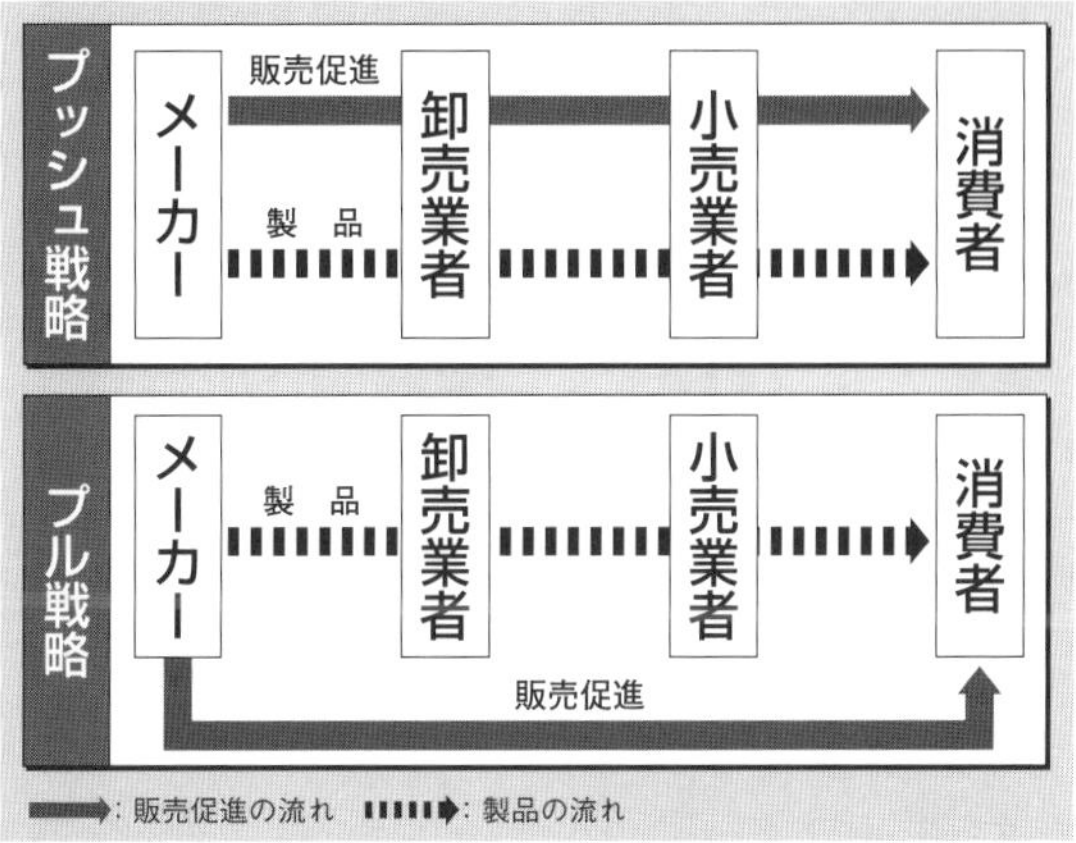

②**プル戦略**……メーカーが消費者に対して主にマスメディアを通じてメッセージを伝え需要の喚起を行うものです。これは広告によって消費者を製品購入のために小売店に引き寄せるためプル戦略と呼ばれています。具体的には、メーカーが広告やパブリシティにより指名買いをさせ、売上の急上昇を期待するものです。

しかし、留意すべきは、どちらか1つということではなく、プッシュ戦略とプル戦略の組み合わせにより、効果的なプロモーションが可能になるということです。その際には、製品の特性や市場での浸透度、競合状況、自社の状況などを考慮に入れながら実行していくことが重要です。

5-3 コミュニケーションプロセス

【ポイント!】プロモーション政策の前に、情報伝達の各段階のプロセス（コミュニケーションプロセス）を理解しよう。

プロモーションについて考える前に、**コミュニケーションプロセス**を考える必要があります。そのプロセスには、「**送り手**」「**受け手**」「**メッセージ**」「**媒体**」「**記号化**」「**解読**」「**反応**」「**フィードバック**」「**ノイズ**」という9つの要素があります。

「送り手」は、「受け手」に対し伝えたい情報の「記号化」を行って、写真、言語などの「メッセージ」に変換します。「受け手」は、「媒体」を通じてその「メッセージ」を解読し、「反応」します。そして「送り手」（企業）は「反応」を受け、「フィードバック」を行います。さらに「ノイズ」（雑音）が加わります。送り手は、このようなコミュニケー

コミュニケーションプロセス

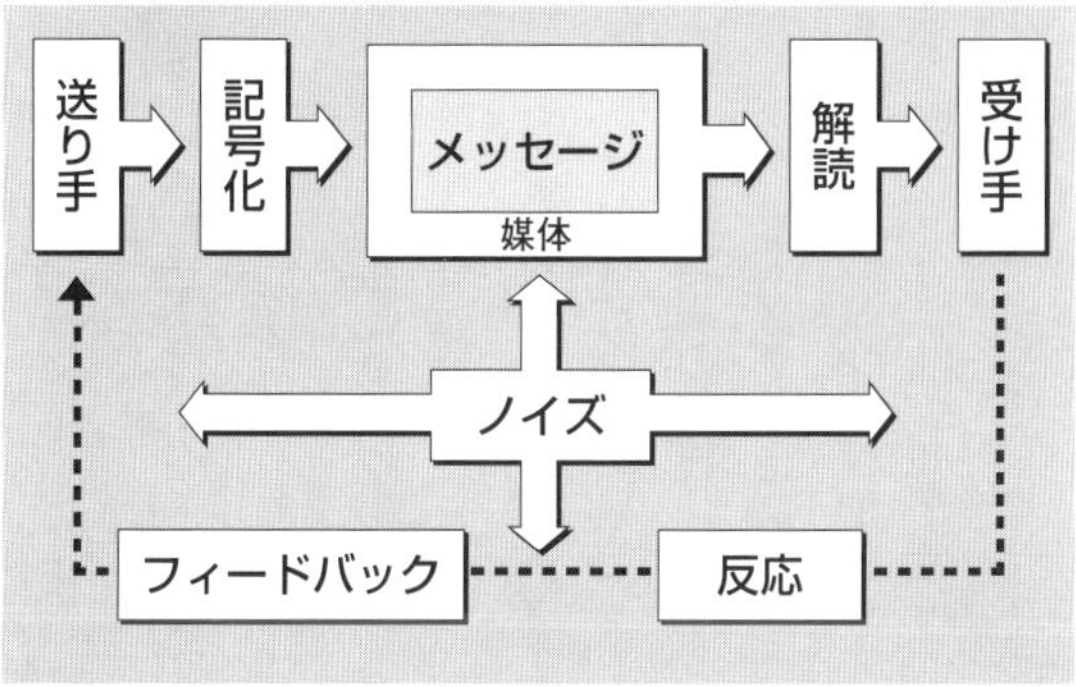

出所：P・コトラー著「マーケティング・マネジメント（第7版）」プレジデント社、1996年

ションプロセスを考慮に入れ、それに沿った形でプロモーションを組み立てる必要があります。コトラーは以下の4つの点を考えなければならないと述べています。

①メッセージを伝える「受け手」は誰か、そしてどのような反応を望むのかを知らなければなりません。

②ターゲットである受け手が通常メッセージをどう解釈するかを考慮して、メッセージの記号化を行わなければなりません。

③ターゲットにメッセージを伝達するのに適した媒体を選択する必要があります。

④受け手のメッセージに対する反応を確認するためのフィードバック・チャネルを開発しておく必要があります。

5-4 プロモーション政策策定プロセス

【ポイント!】コミュニケーションプロセスに沿ったプロモーション政策を策定しよう。

それでは、前述したコミュニケーションプロセスを把握した上で、コトラーの手順を参考にして、その策定手順を見ていきましょう。

①**ターゲット視聴者の明確化**……既存顧客か潜在顧客か、購入決定者か購入決定の影響者か、個人かグループか、特定の人々か一般的な人々かなどを明確にします。

②**コミュニケーション目標の決定**……ターゲットからどのような反応を得たいのかを決定します。買い手がどのような購買決定プロセスを踏むのかを明確にします。

③**メッセージデザイン**……期待する反応を得るために、メッセージの内容・構成・表現形態・情報源などを決定します。

プロモーション政策策定プロセス

❶ ターゲット視聴者の明確化
↓
❷ コミュニケーション目標の決定
↓
❸ メッセージデザイン
↓
❹ プロモーション・チャネルの選定
↓
❺ プロモーション総予算設定
↓
❻ プロモーション・ミックスの決定

④**プロモーション・チャネルの選定**……大まかに、人的と非人的コミュニケーション・チャネルのうちのどちらかを選定します。

⑤**プロモーション総予算設定**……売上高の一定比率にプロモーション予算を設定する方法、どの程度プロモーションに支出できるかによって予算を設定する方法、目標を達成するために必要なコストを換算する方法、などを使って、プロモーションの総予算を決定します。

⑥**プロモーションミックスの決定**……最適なプロモーション手段を組み合わせ、前記で決定された予算を配分します。

⑦**プロモーション効果の測定とフィードバック**……プロモーションの効果測定をして次回にむけてフィードバックを行います。

5-5 プロモーションミックス

【ポイント!】STPで策定したマーケティング戦略に基づき、各プロモーション手段の特性を考えて広告、パブリシティ、販促、セールスフォース（人的販売）の最適な組み合わせを考えよう。

各プロモーション手段は、それぞれ長所と短所があるため、ターゲットの特性、製品特性、予算、即効性などの観点から組み合わせを考えなければなりません。

①**広告**……テレビ、雑誌、新聞などのマスメディアに加え、インターネット、折込チラシ、ＰＯＰなどの媒体を利用してメッセージを伝えます。マスに対してメッセージを伝達することができますが、コストがかかります。

②**パブリシティ**……テレビ、新聞、雑誌などにおけるニュース・記事などの原則無料の公

プロモーションミックス

	長所	短所
広告	マスに対してメッセージが伝達できる	コストが高い
パブリシティ	無料である 信頼性が高い	企業にとってコントロールが不能
販売促進	短期的に効果が出る	コストが高い
人的販売	効果が高い 買い手の反応に合わせてプロモーションができる	コストが高い

的メディアのことです。費用的にはゼロであり、信頼性が高いため、好意的な内容であれば効果的ですが、反面、企業にとってコントロールが不可能であり、思い通りのメッセージが伝わらない可能性があります。

⑤**販売促進**……懸賞、景品、展示会、クーポン、リベートなどの手段で、販売業者向け、消費者向け、社内向けがあります。効果的ですが、コストが嵩むものもあります。

⑥**セールスフォース（人的販売）**……セールスマンが直接顧客と接するプロモーション手段で、買い手の反応を確認しながら、メッセージを伝えることができるため、効果が期待できますが、一方でコストが嵩みます。

5-6 プロモーションミックスとＡＩＤＭＡ

【ポイント!】限られたリソースの中で最大限のリターンを獲得するために、消費者が購買に至るまでの心理プロセスに合わせたプロモーションミックスを考えよう。

効果的なプロモーションを行う上で、消費者の購買までの心理的プロセスを考える必要があります。消費者行動心理の頭文字を取って**ＡＩＤＭＡ（アイドマ）**と呼ばれています。

これは、消費者の購買心理には、「消費者の注意を引き、興味を引き起こさせ、欲しがらせ、心に刻ませ、購入させる」という過程（図参照）を示したものです。企業は、現在顧客が購買プロセスのどの段階にいるのかを把握することにより、顧客を次のプロセスに進ませるためにどのようなプロモーションを行えばいいのかが明確になります。

たとえば、「現在、ＡやＩの段階なら広告を中心とするプル戦略を、ＤやＭの段階では

プロモーション手段とＡＩＤＭＡ

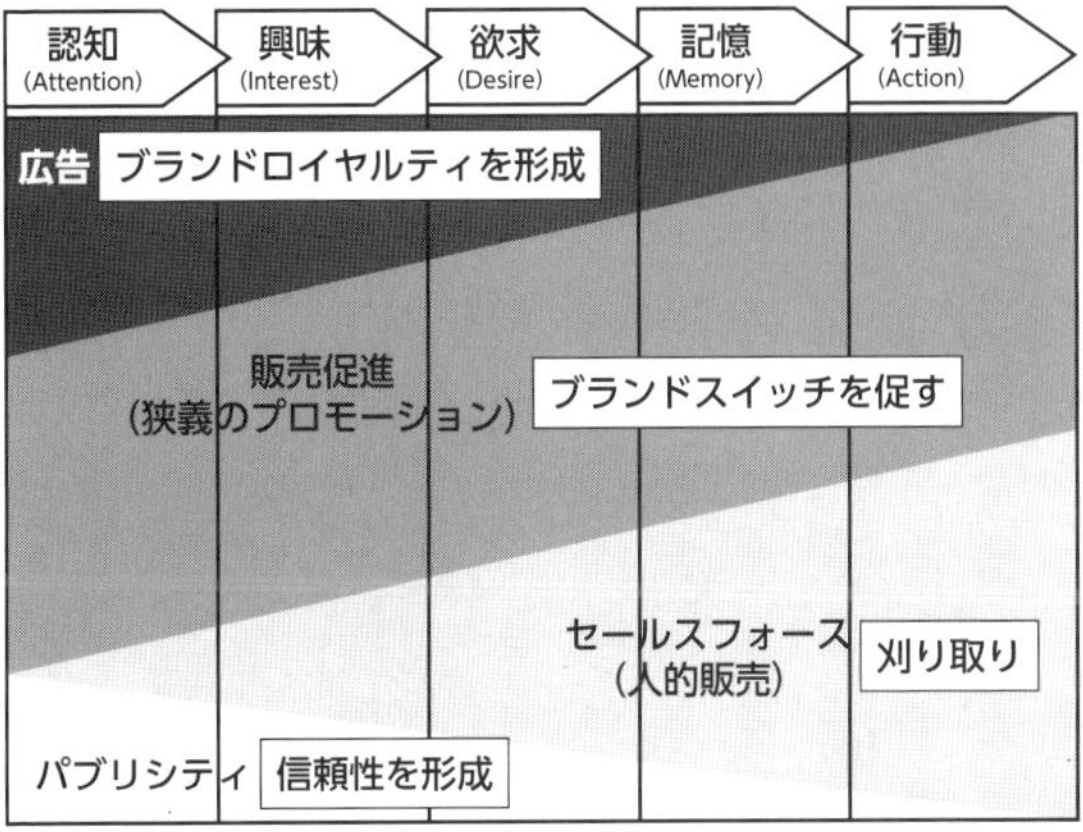

人的販売を中心とするプッシュ戦略を中心としたプロモーション政策を行ったほうが効果は上がる」といった具合です。一般的に、初期段階である注意（attention）と関心（interest）の過程においては広告やパブリシティが、それ以後の段階である欲求（desire）と記憶（memory）、行動（action）の過程では人的販売が有効であると言われています。

ちなみにインターネットインフラを前提とした購買行動のプロセスとして、検索（search）と共有（share）を含めて提唱されているものとして、**ＡＩＳＡＳ（エーサス、アイサスattention、interest、search、action、share）モデル**があります。

5-7 広告①　～広告プログラム開発のプロセス～

【ポイント！】広告と販促（狭義のプロモーション）の目的は異なる。あくまでプロモーションミックスの中でバランスの取れた広告プログラムの開発を検討しよう。

ではこの単元から、プロモーションミックスの要素である広告、パブリシティ、販売促進、セールスフォース（人的販売）について個別に詳しく見ていこうと思います。まずは広告について説明します。

広告とは、テレビ、ラジオ、新聞、雑誌など、有料で主にマスをターゲットとしたプロモーション手法のことを言います。

広告プログラム開発プロセスは以下のとおりになります。

①広告目標の設定……広告の目標をマーケティング戦略全体の観点から明らかにします。

広告プログラム開発のプロセス

❶ 広告目標の設定
↓
❷ 広告予算設定
↓
❸ メッセージ開発
↓
❹ 媒体選択
↓
❺ 広告効果の評価

すなわち広告目標が「初期需要の開拓」か、「競争段階における選択的需要の開拓」か、「消費者の記憶の維持」か、などを設定します

②**広告予算設定**……プロモーション政策策定プロセスの箇所で説明している方法により予算を決定します

③**メッセージ開発**……期待する反応を得るために、メッセージの内容、表現形態などを開発します

④**媒体選択**……広告メッセージをのせる媒体の選択と支出のタイミングを決定します

⑤**広告効果の評価**……コミュニケーション効果分析や売上効果分析を行って、次回の広告プログラムに活かしていきます。

5-8 広告②　～メッセージ開発～

【ポイント！】広告のメッセージの選択はインパクトのみならず。興味を引くことに加え、具体的な差別化の提示、そして信頼性の３つのバランスを考えよう！

この広告メッセージ開発は、次の３つのステップで行われます。

①メッセージ代替案作成

受け手に期待する反応を得るためにいくつかのメッセージ候補を作成します。その際は様々な人にできるだけ合うように心がけ、情報収集を行い、アイデアを得るのが効果的です。たとえば、取引業者、消費者、競争業者、自社販売員などからアイデアを得ますが、最大の情報源は消費者です。

②メッセージ評価と選択

広告メッセージの開発

❶ メッセージ代替案作成
↓
❷ メッセージ評価と選択
↓
❸ メッセージ作成

作成された代替案の中から最適メッセージを選択する際、それぞれの代替案の伝達力を判断します。その伝達力を判断するには、**「興味を引くかどうか」**、**「信頼性があるか」**、**「差別化が図られているか」**の3つをチェックする必要があります。

③メッセージ作成

実際のメッセージの作成を行います。その際にまず、「目標」「内容」「支持理由」といった基本的項目について明確な記述を行います。しかし、前記の内容に加え、メッセージの表現形態も重要になります。したがって、その次には、広告のスタイル、トーン、言葉使い、フォーマットを明らかにしなければなりません。

5-9 広告③ ～媒体の選択～

【ポイント!】媒体評価はターゲットに合わせ、コスト効率の高い媒体の組み合わせを検討し、長期的な目標と計画に基づいて選定しよう。

媒体にはそれぞれ長所と短所があるため、ターゲットや目的に合致し、コスト効率の高い媒体物を選択する必要があります。代表的な媒体の長所と短所は以下のとおりです。

①**テレビ**……映像、音声が組み合わされ、視覚、聴覚に訴えることができ、視聴者も多いという長所がある。一方、コストが高いのと消費者を選別しづらいという短所があります。

②**ラジオ**……地域別、属性別の選別が可能で、コスト的にも安いことが長所として挙げられます。一方、音のみで視覚に訴えられないのと、視聴者数が少ないのが短所です。

③**雑誌**……地域別、属性別の選別が可能で、高質の印刷、長期間の媒体価値などが長所で

広告媒体の特徴

媒体	長所	短所
テレビ	●映像、音声、動きの組み合わせのため視聴者の感覚に訴える	●コスト高●騒々しくすぐに消えてしまう ●視聴者の選別性の少なさ
ラジオ	●大量の聴取者を対象、地域別・属性別の視聴者の選別性の高さ ●低コスト	●音のみの表現 ●テレビよりも注意喚起力は小さい ●広告がすぐ消える
雑誌	●地域別・属性別の選別性の高さ ●社会的信用とプレステージ ●高質の印刷●寿命の長さ ●じっくり見てくれる読者が多い	●広告が出るまでのリードタイムの長さ ●発行されたすべての雑誌が購入されるとは限らない
新聞	●融通性●時機を逸しない ●地域市場カバレッジの高さ ●広範に受容される●信頼性の高さ	●寿命の短さ ●印刷の質の悪さ ●じっくり見てくれる読者の少なさ
屋外広告	●融通性の高さ●反復露出可能 ●低コスト●低競合度	●視聴者の選別性なし ●広告の表現力に限界
インターネット	●双方向性●いつでもどこでも見れる ●情報量に制限なし	●視聴者が少ない ●認知がされにくい

出所:P・コトラー著「マーケティング・マネジメント（第7版）」プレジデント社、1996年に加筆・修正

す。一方、広告が出るまでのリードタイムが長いことと、読者が少ないことが短所です。

④**新聞**……多くの読者を持ち、信頼性も高く、広告が出るまでのリードタイムが短いことが長所である一方、印刷の質は悪く、媒体価値が1日しかないこと、などの短所があります。

⑤**屋外広告**……コストも割安で、反復露出が可能であることが長所としてあげられます。一方、視聴者を選別することが難しく、広告の表現力に限界があるなどの短所があります。

⑥**インターネット**……双方向性があり、視聴者はいつでもどこでも見られ、情報量に制限がないなどの長所があります。一方、ウェブサイトが無数にあるため、認知がされにくいなどの短所があります。

5-10 広告④ ～支出のタイミング～

【ポイント！】長期的な広告の計画もマクロ視点とミクロ視点に基づいて広告費用配分を調整しよう！

広告でもう1つ留意しなければならない問題があります。それは広告の支出のタイミングです。タイムリーに打たないとせっかくの広告支出の効果が半減しかねないからです。

コトラーは、この問題をマクロ的問題とミクロ的問題に分けて次のように説明しています。

マクロ的問題は、需要の季節変動や景気循環に応じてどのように広告支出の配分を行うのかという問題です。オンシーズンとオフシーズンがあるような商品の広告支出の方法は、**需要の季節変動に応じた支出**、**需要の季節変動に対抗した支出**、**需要の変動と関係なく均等に行う支出**の3方法が考えられますが、一般的に季節変動に応じた政策が採用されます。

広告支出のタイミング

マクロ的問題

需要の季節変動や景気循環に応じてどのように広告支出の配分を行うのか

ミクロ的問題

短期間における広告効果最大化のための広告費用配分をどのように行うのか

一方、ミクロ的問題は、短期間における広告効果最大化のための広告費用配分をどのように行うかという問題です。

この場合は**顧客回転率**、**購入頻度**、**忘却率**という3つの要素を考えなければなりません。

顧客回転率は、新規顧客が市場に参入してくる比率を示すもので、この比率が高ければ、広告はより継続的に行わなければなりません。購入頻度は、ある特定期間内に平均的顧客が製品を購入する頻度のことで、この頻度が高ければ、より継続的に広告出稿を行わなければなりません。また忘却率は、顧客がブランドを忘れる割合であり、忘却率が高いほど、やはり広告は継続的に行われなければなりません。

5-11 パブリシティ

【ポイント！】最も信頼性と波及効果の高いプロモーション手段として、積極的に定期的かつ多頻度のプレスリリースや記者会見でパブリシティ政策を実行しよう。

パブリシティとは、テレビ、新聞、雑誌などにおけるニュース・記事などの公的メディアに働きかけて、受け手にメッセージを伝えるプロモーション手段をいいます。パブリックリレーションズ（ＰＲ）は、株主、従業員など各種利害関係者に対する企業の様々なコミュニケーションですが、パブリシティは、製品等の情報を伝達する手段と言えます。したがってパブリシティは、パブリックリレーションズの下位概念となります。

パブリシティは、費用的にはゼロであり非常に魅力的です。しかも広告などと違って新聞や雑誌などの報道的性格を有しているため、受け手に与える信頼度は高く、インパクト

パブリシティ

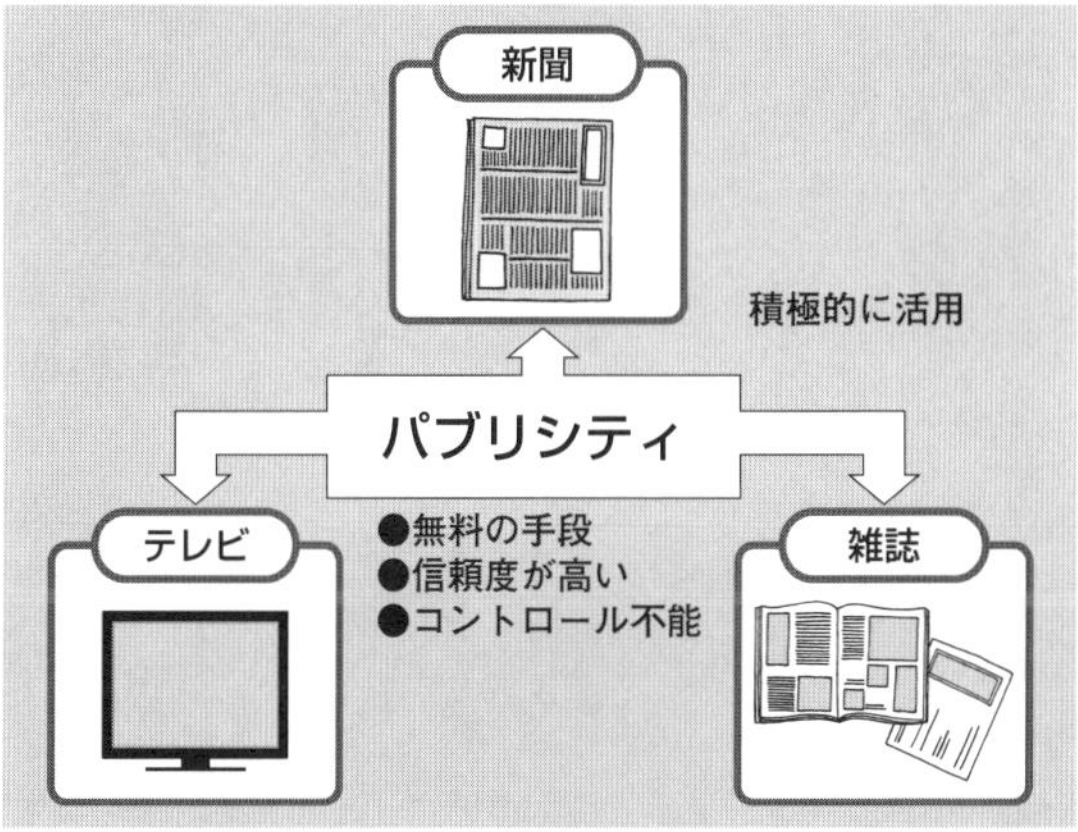

も強いです。したがって好意的な内容であれば効果はかなり期待できるといえます。しかし、その反面、企業にとってコントロールが不可能であり、思い通りのメッセージが伝わらない可能性があるという短所もあります。

企業としては、パブリシティを上手に活用する必要があります。企業にとって好意的な内容についてメディアのほうから取材させてくださいと言ってくるのは、稀なケースです。自ら企業側から積極的に、プレスリリースなどを行って、情報提供をしていかなければなりません。また、自社のターゲットとなる顧客が購読している新聞、雑誌は何かを知っておき、その内容等や最近のトピックなども押さえておく必要があります。

5-12 販売促進

【ポイント！】販促は長期的な顧客維持の手段ではない。長期的なブランドロイヤルティを構築する広告とセットで行うべき、強力にブランド認知、ブランドスイッチ（リプレース）を仕掛けるための短期的な施策として予算配分しよう。

販売促進は、消費者や取引業者などに対して、その需要を刺激することを目的として行われるプロモーション手段です。簡単に言えば、販売促進は購入へのインセンティブを付与するものです。この販売促進には、以下の3つがあります。

①**消費者向け販売促進**……サンプリングや、実演販売、クーポン、景品、懸賞など、私たちの身近で行なわれているもので、比較的短期間で効果が上がる手法と言えます。

②**取引業者向け販売促進**……販売コンテスト、経営指導、無料商品提供、リベート、ア

販売促進の種類

消費者向け販売促進

サンプリング、実演販売、クーポン、景品、懸賞など

取引業者向け販売促進

販売コンテスト、経営指導、無料商品提供、リベート、アローワンス、共同広告など

社内販売担当者向け販売促進

社内コンテスト、販売会議、特別賞与など

ローワンス、共同広告など、単なる販売店へのプロモーションだけでなく、販売店売上アップの支援のために行います。

③社内販売担当者向け販売促進……社内コンテスト、販売会議、特別賞与など、組織内部の販売意識を高め、販売技術を高度化するために行います。

販売促進は、短期的に売上を増大させるのに貢献しますが、長期的なシェアの獲得は望めません。広告がブランドロイヤリティを形成するのに役立つのに対し、販売促進はインセンティブによりブランドスイッチを促すためブランドロイヤリティを打ち破る方法として理解されています。したがって、広告費と販売促進費の予算配分が重要になってきます。

5-13 セールスフォース（人的販売）① 〜人的販売とは〜

【ポイント！】セールスフォースはその運営と管理により効果が大きく異なる難しい手段にもかかわらず費用が高く、しかも固定化する重大な投資であることを認識しよう！

人的販売とは、いわゆる営業人員による販売で販売員が直接顧客と接することにより、製品の購入を説得し、販売を締結させる販売活動のことをいいます。企業にとっても人件費は固定費の大部分を占めるものであり、非常に大きな投資となっているものです。人的販売は、その選定と運営体制により、効果が大きく変化します。つまり、動機づけられたり、よく訓練され指揮された販売組織は、そうでない販売組織よりも多く売り上げます。

他方、販売員が直接、消費者と情報を交換することにより、非常に影響力の高い販売促

人的販売の特徴

人的接触性	売り手と買い手とが互いに相手の性格やニーズを観察し、それに合わせて対応できる
関係育成性	様々な人間関係が含まれるので、顧客の長期的な利益を心にとめて行動することができる
高反応性	広告と異なり、買い手を販売員の話に耳を傾けさせることができる

進を行うことができます。また、顧客のニーズを的確に捉えることが可能になるため、マーケティング戦略の目的達成には欠かせない役割であると言えます。コトラーは、人的販売の特徴を以下のように述べています。

①**人的接触性**……売り手と買い手との直接的かつ相互作用的関係を含むため、それぞれが互いに相手の性格やニーズを観察しそれに合わせて対応することができる

②**関係育成性**……様々な人間関係が含まれるので、顧客の長期的な利益を心にとめて行動することができる

③**高反応性**……広告と異なり、買い手を販売員の話に耳を傾けさせることができる

5-14 セールスフォース（人的販売）②　～販売組織の編成～

【ポイント！】販売組織の編成は、4つの要素を軸に検討しながらも、メリハリをつけ、柔軟に変更でき、かつクロージングを徹底できる規模になるよう検討しよう！

企業が市場あるいは顧客に対し、商品・販売方法・人・情報などの諸要素を最も効果的に発揮できるように販売組織を編成する必要があります。販売組織編成の基軸として、大きく「**地域**」「**事業・商品**」「**対象（ルート・市場）**」「**機能**」の4つの要素があります。

①**「地域」による編成**……地域ブロック、都道府県、あるいは市区など、各地域で顧客がどのように集中しているかの密度によって検討をします。

②**「事業・商品」による編成**……各商品の性格（生産財・消費財、最寄り品・専門品など）及び、要求される商品知識や技術知識によって、販売に必要とされる条件を決めます。

販売組織の編成

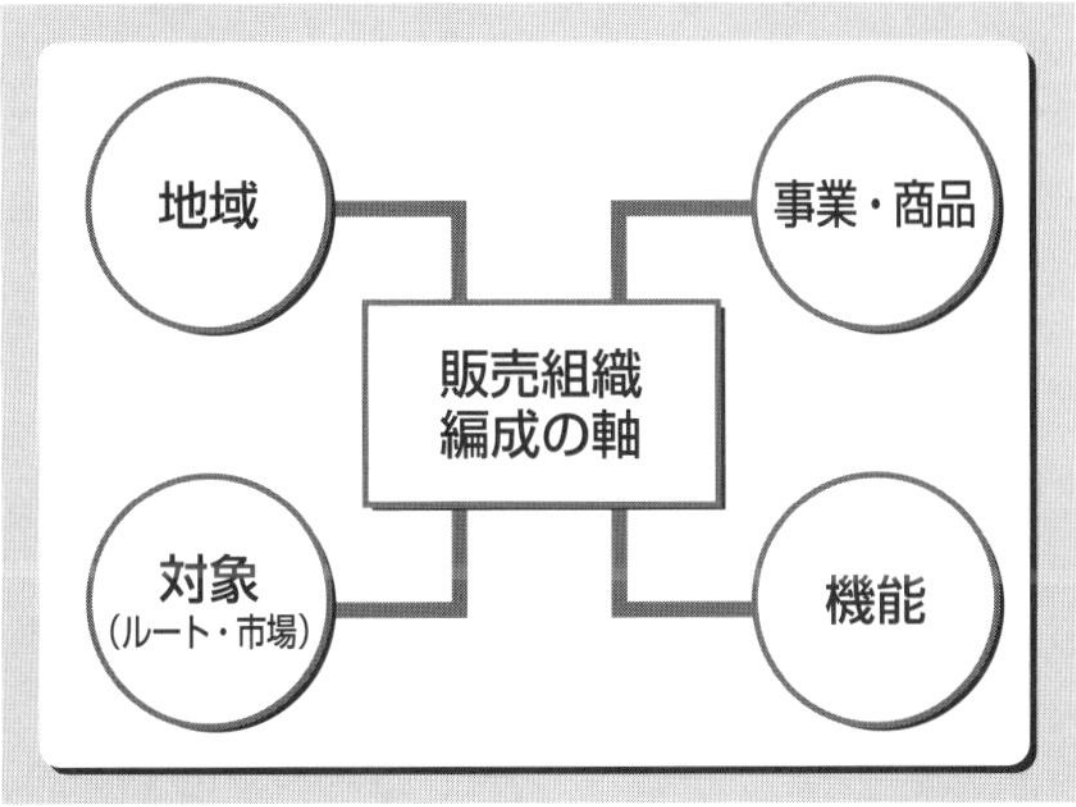

③**「対象」による編成**……顧客に対応した組織編成です。一般家庭用・業務用の区分や、重要度の高い顧客別での対応を含みます。

④**「機能」による編成**……販売活動、販売企画、宣伝・販促、業務情報支援などの機能ごとに、編成します。

また以下のポイントに注意して販売組織の編成を行う必要があります。

①編成軸マトリックス化の検討（地域〜市場軸、ルート軸など）
②顧客別の対応による優先順位付け（対象別・市場別の編成を重視）
③編成の単位の大きさ（完結力を低下させないために、極端に小さくしない）
④編成軸は定期的な更新が必要

5-15 セールスフォース（人的販売）③ ～販売組織の強化～

【ポイント！】一個人の結果主義ではなく、販売組織力の拡大につながる活動基準・活動プロセスに基づいた目標の管理制度を考えよう！

販売組織をより効率よく運営し管理するためには、**①目標を管理すること**、**②方針を管理すること**、**③目標実現のための組織活力を高めること**、が必要となります。

①目標管理……販売活動の目的は最終的には売上げ・利益で示されますが、それらは活動結果の最終データに過ぎません。その数字の背景に隠れたより本質的な結果を認識するために、たとえば配荷率やフェイス獲得数、優位置確保など、それぞれの業態に合った自社の「販売課題」に活動基準を設定することが必要です。

②方針管理……販売組織のマネジメントを考える上で、もう1つの柱となるものが方針管

販売組織の強化

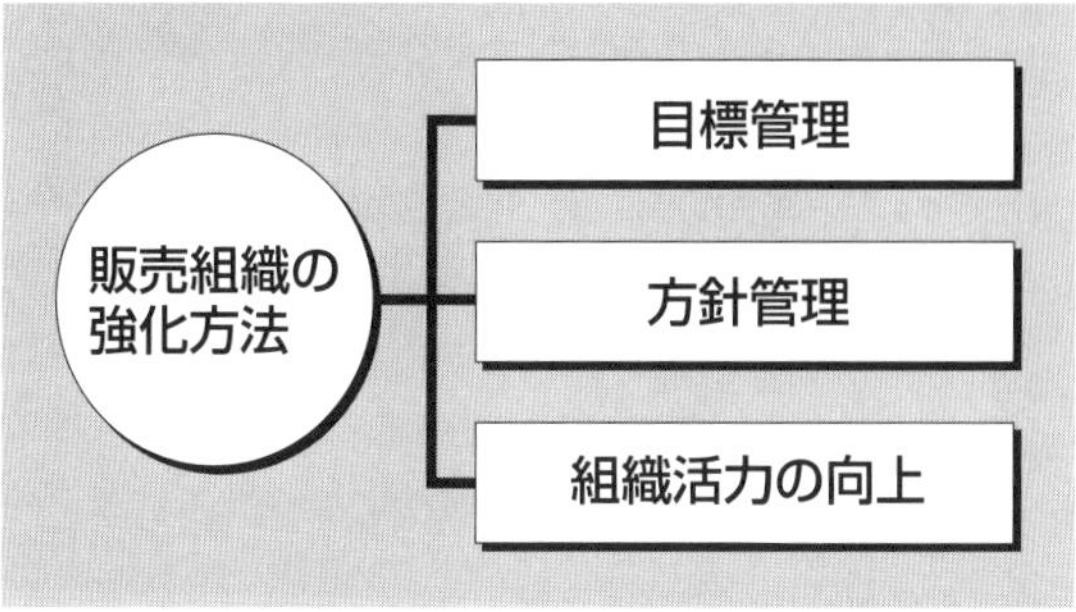

理です。これは企業方針や商品別方針など、自社の方針を現場に波及させる活動です。「自社のトップ方針・販売方針を具体的に顧客目標に反映（シェア目標、育成商品目標など）↓マネジャーの提示に基づき討議・具体的な目標を設定↓販売員の納得を得ながらさらに具体的な販売計画・行動計画化を設定」

　このような討議・計画プロセスを経てはじめて具体的な方針理解とその計画への反映が可能となります。

③**組織活力の向上**……このように一個人の結果主義でなく、活動基準及び活動プロセスを重視することで、公平かつ本質的な目標管理を進めることができます。

第6節　競争優位のマーケティングミックス

6-1 企業の性質とマーケティングミックス

【ポイント!】市場ポジションに基づいたあるべき戦略との整合性を考えよう。

この節では、マーケティングミックスのまとめとして、市場で置かれている様々な立場によって、企業の戦略が異なることを説明します。市場における役割が主導的、挑戦的、追随的、限定的などによって、企業のマーケティング戦略の手法も変わってきます。

①リーダー企業……業界において最大のマーケットシェアを持つ企業です。所有する経営資源は多く質も良いため、基本的に規模の経済性を利用した全方位戦略を行います。

②チャレンジャー企業……業界において、2、3位といった地位にある企業です。基本的な戦略は、リーダー企業になることを目指しているので、リーダーとは異なる差別化戦略を行います。マーケティングミックスも、リーダーとの差別化を図り、リーダーが高価格

競争地位別の競争対抗戦略

競争地位	競争対抗戦略			
	戦略課題	基本戦略方針	戦略ドメイン	戦略定石
マーケット・リーダー	市場シェア 利潤 名声	全方位型 （オーソドックス） 戦略	経営理念 （顧客機能中心）	周辺需要拡大 同質化 非価格対応 最適市場シェア
マーケット・チャレンジャー	市場シェア	対リーダー差別化 （非オーソドックス） 戦略	顧客機能と独自能力の絞り込み （対リーダー）	上記以外の政策 （リーダーができないこと）
マーケット・フォロワー	利潤	模倣戦略	通俗的理念 （良いものを安くなど）	リーダー、チャレンジャー政策の観察と迅速な模倣
マーケット・ニッチャー	利潤 名声	製品・市場特定化戦略	顧客機能 独自能力 対象市場の絞り込み	特定市場内でミニ・リーダー戦略

出所：嶋口充輝「戦略的マーケティングの論理」（誠文堂新光社、1984 年）

な品揃えなら低価格な品揃えを、逆に低価格なら高価格で展開します。

③ニッチャー企業……ニッチ（すきま）市場を対象として専門化しており、資源が限定されている小規模企業です。基本戦略は、特定セグメントでの集中・専門化戦略です。マーケティングミックス戦略は、特定市場をターゲットとしたリーダー戦略をとります。

④フォロワー企業……他の企業へ追随していこうという企業で、経営資源においては、質が低く、量も少量です。そんな企業が行う基本戦略は、生存利潤の確保であり、②チャレンジャー企業、③ニッチャー企業への移行を目指し、模倣戦略を行います。

COLUMN

〈コラム〉
グループブランドとカテゴリーブランド

フルライン・フルカバレッジで展開するトヨタのような自動車ブランドは、スポーツカーのイメージのあるマツダ等と比べても「一般大衆者向けの総合自動車メーカー」のイメージが強く、メルセデスやアウディ、BMWなどドイツの高級車専業ブランドに比べて高級車市場におけるブランディングが弱いとされてきました。

そのため、トヨタはカテゴリーブランドとして「レクサス」を新たに立ち上げ、高級車市場の取り込みを図っています。

高級車専業ブランドの1つであるアウディは実はトヨタのようなフルラインの総合自動車メーカーであるVW（フォルクスワーゲン）グループ傘下の高級車セグメント会社の1つです。さらに、2012年8月1日にはそれまで49・9％保有していたポルシェの自動車部門の残りの株も取得し完全子会社化しています。これにより、VWグループは2018年までに世界新車販売台数や収益性でトヨタやGMを抜き、世界一の自動車メーカーになることを目指すと発表しています。

このように、VWグループは、高級車（プレミアムカー）セグメントと一般自動車のカテゴ

COLUMN

リーブランドのみならず、プレミアムカーの中でもアウディとポルシェといったプレミアムブランドの多層化を図ることで価格弾力性が低いといわれるプレミアムブランド強化を通した不景気に強いグループ経営を加速しています。

他方、日本の自動車メーカー各社の方針はどうでしょうか？　トヨタグループにとってはレクサスブランドよりも重視すべきセグメントがあるように見えます。それは軽自動車を含めた小型車とハイブリッドを中心とした環境対応エンジンの全面展開です。実際、同じプレミアムカーセグメントのライバルであるＢＭＷグループとはハイブリッドエンジンを中心とした環境対応エンジンに関する提携を発表しました。今後の市場の広がりを見たとき、圧倒的に軽自動車を含めた新興国における小型車の市場と、先進国での環境対応エンジンの市場の組み合わせが重要であると認識していることの証左でしょう。

ライバルを含めていかに環境対応エンジンで主導権を獲得し、台数を伸ばしていけるか？　これこそが自社の強みを活かした戦略であると考えているのかもしれません。

COLUMN

〈コラム〉

利益を最大化するために整合性をとるべきポイントとは

COLUMN

「利益を最大化する最適価格」を設定するとき、確認する必要のあるポイントがあります。

①価格反応に注意せよ

洗剤などの日用品とブランドバックなどのラグジェリー商品では、価格弾力性が異なります。つまり、10％の値引きや値下げで購買量が大幅に増える高い日用品と違って、相対的に購買量が変わらないラグジェリー品は安易な値下げが逆にブランド価値を毀損しかねません。

②コスト構図をチェックせよ

価格に対する変動費率が高いほど価格変更の利益インパクトが大です。価格弾力性の高い製品に関しては、変動費率を極力下げるよう努力すべきです。変動費率が低い場合は多少の価格の値下げも、事業上の利益下方インパクトを最大限緩和させることができます。

③価格変更のタイミングは精査せよ

価格は常に一定である必要はありませんが、価格のターゲットは投入後の時期によって変わると言われています。つまり、中長期的な価格の底値は「1個あたりの総コスト」で決まり、短期的な価格の底値は「1個当たりの変動費」「限界コスト（機会費用）」で決まるということです。つまり、当初より値下げを検討した事業設計を行う必要があります。

④製品ライン全体の利益を考えよ

製品ライン全体の利益の最大化のためには、いくつかの製品の利益を犠牲にする必要があることも認識されています。たとえば、製品Aの売上拡大が製品Bの売上拡大につながる「補完財」の関係と、ニーズの違いなどで製品Aと製品Bの売上はトレードオフの「代替材」の関係があり、それらが混在する多くの製品ライン上のすべての製品で大きな利益を獲得することはできません。たとえば、アップルのiPodはiTunesアプリの入ったiPhoneで代替できるなどカニバライゼーションが起こっていますが、そのために利益率と利益シェアの高いiPhoneやiPadからiTuensアプリを使用させせない選択肢はありません。むしろiPodのシェアや利益が落ちてもiPhoneのシェアと利益を重視すべきです。

⑤バンドリング施策の可否

顧客の支払い最大許容額が大きい場合では、目先の利益のためにバンドリング（セット販売）をすることは裏目になります。顧客側の予算に幅がある場合において、個別プライシングで得られない潜在的な販売機会を別商品で同時に獲得し、20%~30%の利益改善が可能だが、予算の最大許容額が小さい中でバンドリングを提示すると獲得利益を減らすことになります。

第5章
顧客維持のマーケティング戦略

第5章「顧客維持のマーケティング戦略」では、時代の要請でその重要度が増しつつあるマーケティングトピックの1つ、「リレーションシップマーケティング」について考えていきます。

第1節「リレーションマーケティングとは」では、顧客を維持していく、といった点に重点を置く意義およびその理由について説明します。また、同時に顧客を維持する上で重要なコンセプトの1つとなる顧客価値（ライフタイムバリュー　LTV）について把握します。その後、どの顧客を維持していくかといった分析方法としてRFM分析について説明し、最後に1人の潜在顧客が最終的に企業のパートナーになるまでのステップについてまとめた「顧客進化」というコンセプトを考えます。

第1節　リレーションシップマーケティングとは

1-1 マーケティングトレンドのシフト

【ポイント!】新規顧客の獲得の前に既存顧客の維持（離反防止）こそ考えよう!

リレーションシップマーケティングとは、改めて既存顧客との関係を深め、維持・深耕して行こうとする新しいマーケティングの概念です。市場における競合環境が激化する中で、新規顧客を競合他社から奪ってくるよりも、自社の既存顧客をコンスタントに維持するほうがコスト的に有利だという考えが浸透した1990年代からは、それまでの主流であったマスマーケティングから、既存顧客の維持に努める「**顧客維持型のマーケティング**」へとトレンドがシフトしてきました。

リレーションシップマーケティングの根本的なコンセプトは、既存顧客にいつまでもとどまってもらい、個々の顧客に自社の製品をリピート購買してもらうために、顧客との親

リレーションシップマーケティングとは

	❶顧客シェア	❷商品範囲	❸顧客時間	❹顧客範囲
従来	誰にどれだけ食い込んだか不明	企業の論理で品揃え	売れたら終わり一度きり	誰に売れたか気にしない
リレーションシップマーケティングの考え方	●顧客ごとの市場をきちんと把握 ●各商品がどれだけそこに食い込んだか	●顧客のニーズ・ウォンツを満たす品揃え	●顧客の望むタイミングで提供、推奨 ●アフターも含めての継続的なお付き合い	●誰に売れたかきちんと把握 ●既存顧客のみならず潜在顧客も見る
	① 各商品毎に市場環境を把握	① 顧客のニーズを満たす商品の品揃え	① 生涯を通してのお付き合い	① 誰にどのような形で売れたかをきちんと把握

密で良好な関係を築き、既存の顧客から最大限の売上高と利益を獲得しようとします。

このような既存顧客の価値を高めようとする考えから、**ライフタイムバリュー（LTV）**という観点から顧客を捉えます。つまり、今顧客がどれくらいの利益をもたらしてくれるかではなく、長期的なスパンでの利益貢献を見るのです。また、リレーションシップマーケティングとはマスマーケティングは、マスマーケティングとは異なり、潜在顧客までも含めたすべての顧客を対象とせず、あくまでも既存顧客の中で利益貢献度の高い顧客にセグメントを絞って、活動を展開します。最近注目を集めているワン・トゥ・ワンマーケティングは、この一例にあたります。

1-2 顧客創造と顧客維持

従来のマーケティングでは、より大きな利益を求めて潜在的な顧客開拓がフォーカスされていました。このため、新規顧客獲得のために企業は広告／人件費を投入し、既存顧客に対する配慮、つまり顧客離れを阻止する活動そのものの価値が見過ごされてきました。しかし、マーケティングはこれまでの顧客創造重視から、顧客維持重視へと徐々にそのウエートを移し始めてきました。

これは、広告費や人件費を大量に使って新規顧客を開拓するよりもマーケティングコストで収益を上げることが可能であるからです。たとえば、あるコンサルティング会社の調査では、「新規顧客に販売するコストは、既存顧客に販売するコストの5倍」という報告や「5％の顧客離れを阻止すれば最低でも利益が25％改善される」との報告まで出ています。この報告からも、企業における既存顧客がいかに重要かがわかります。

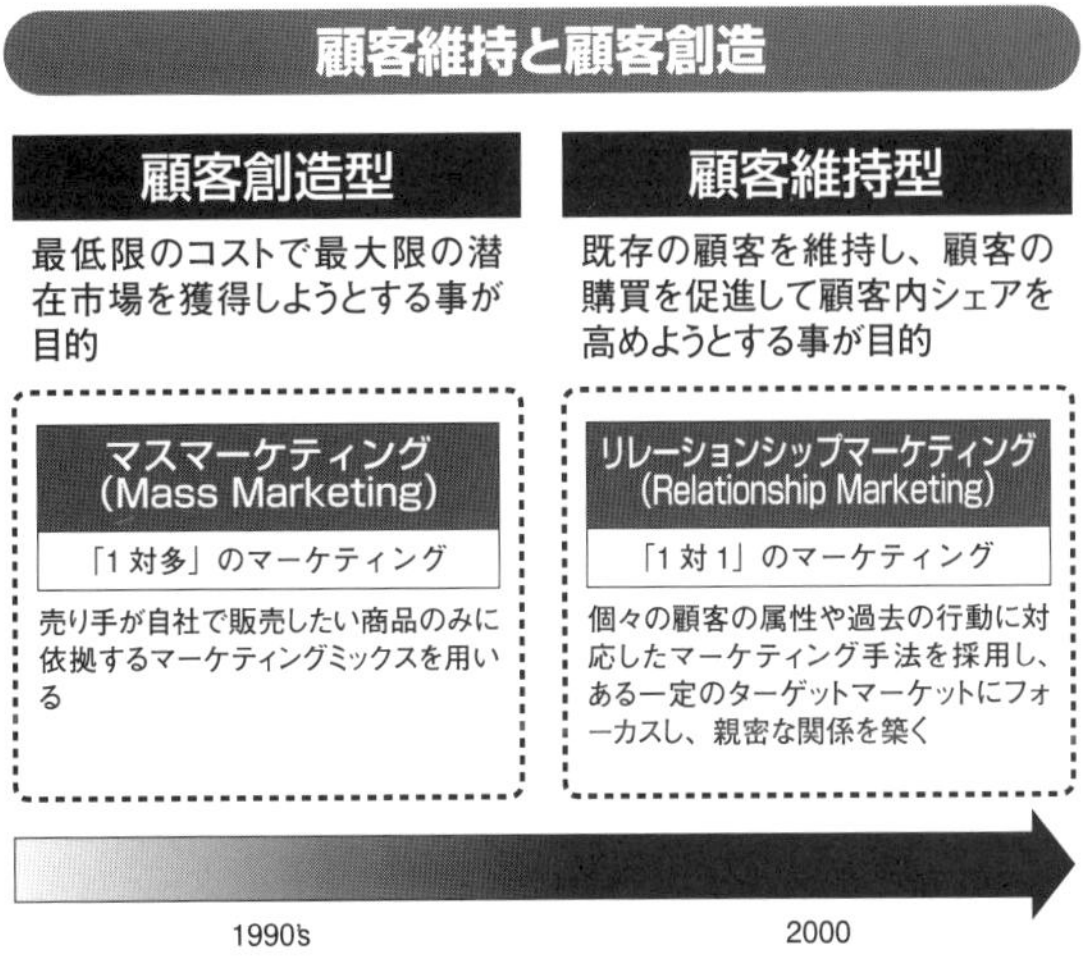

顧客維持と顧客創造
顧客創造型
最低限のコストで最大限の潜在市場を獲得しようとする事が目的
顧客維持型
既存の顧客を維持し、顧客の購買を促進して顧客内シェアを高めようとする事が目的
マスマーケティング
(Mass Marketing)
「1対多」のマーケティング
売り手が自社で販売したい商品のみに依拠するマーケティングミックスを用いる
リレーションシップマーケティング
(Relationship Marketing)
「1対1」のマーケティング
個々の顧客の属性や過去の行動に対応したマーケティング手法を採用し、ある一定のターゲットマーケットにフォーカスし、親密な関係を築く
1990's
2000

また、マスマーケティングにおいて重点が置かれていた新規顧客／1度のみの顧客からは難しかった、顧客からのフィードバックを新規事業や商品開発などのさらなるマーケティング戦略に活かせることも顧客維持重視のマーケティングではできるようになります。このため、企業は顧客の特性や購買履歴などから成るデータベースを活用して、1人の顧客と生涯にわたって良好な関係を築けるよう努力しなければなりません。

1-3 顧客価値（ライフタイムバリュー）

【ポイント！】新規顧客の獲得の前に既存顧客の維持（離反防止）こそ考えよう！

従来型のマーケティングでは、プロダクトに焦点を当てた分析や広告宣伝を核とした戦略立案が中心でしたが、これからは企業活動を行う上で最も重要な「**顧客情報**」に焦点を当て、その情報を有効活用したマーケティング戦略（**CRM Customer Relationship Management 戦略**）の確立が企業存続の上で不可欠となります。

CRM戦略とは、「顧客との関係構築・維持から獲得収益を極大化することを目指し、①自社にとって収益をもたらしてくれる顧客群を明確に定義し、②その顧客群に対し最適なマーケティング・ミックスを適用する戦略」のことを指します。このCRM戦略立案の上で鍵となるのが、前述の「顧客価値（ライフ・タイム・バリュー　LTV）」です。

顧客価値（ライフタイムバリュー）

ライフタイムバリューの算式

LTV（ライフタイムバリュー）

＝

顧客１人あたりの年間利益

×

平均寿命

×

割引率

顧客が長期にわたって購入し続けるサービストータルがその顧客にとってのＬＴＶであり、これに着目し、その製品やサービスを提供し続けることによって企業はＬＴＶを通して長期の利益を算出可能になります。これは、１人の顧客との取引を長期にわたり継続することによって、その長期的価値を測定し、顧客のライフサイクルにあったマーケティングを実践できるからです。

ただし、ライフタイムバリューといっても、あまりにも長期にわたる期待収益額の算出は、不確定性が高く、意思決定の根拠として意味をなさないため、通常は中期３～５年の期間における期待収益を指すのが一般的となっています。

1-4 RFM分析

【ポイント!】死にデータベースを捨て、自社にとっての優良顧客を育てよう。

RFM分析とは、データベースを使ったターゲットマーケティングで、顧客の過去の購買履歴を分析し、企業にとって最も優良な顧客を抽出する手法として使われています。

Rは最も最近（recency）購入された年月日であり、一般的には最後の購入日からどれくらいの期間が経過しているのかを表します。Fは頻度（frequency）で過去1年などの一定期間の購入回数、Mは一定期間での購買金額（monetary）を意味します。

それぞれの変数に企業独自に設定されたウエートをつけ、その合計の評価点で、ターゲットとすべき顧客セグメントの抽出および優先順位づけを行います。

RFM評価方式を採用することによって、マス・マーケティングアプローチにおける課

RFM分析

最も効率的にアプローチすべき顧客グループを
RFM 分析を用いて抽出

Customer Name	Recency	Frequency	Monetary	Score	Priority
Yusuke Ono	9	10	9	28	A
Tomoko Ohno	10	8	8	26	A
Shinako Suzuki	9	8	8	25	A
Yukiko Ito	8	9	7	24	A
Ichiro Sasaki	7	7	8	22	A
Goro Watanbe	6	8	7	21	A
Hiroyuki Sato	7	6			
Akira Aoki	5	6	4	15	B
Shuichi Sakai	5	4	5	14	B
Masahiro Hara	3	5	4	12	B
Yoko Sonoda	2	4	4	10	C
Takashi Goto	3	2	4	9	C
Aya Ogawa	2	4	2	8	C
Masahiko Kudo	1	3	2	6	C
Yuichi Inoue	1	2	2	5	C
Haruo Okita	2	1	1	4	C
Keiko Tanaka	1	1	1	3	C

題である「Non-Target」への無駄な投資はなくなり、企業が捉らえるべき顧客セグメントからのレスポンス率を高めることが可能となります。通常は、ダイレクトメールを送ったり、カタログを配布する際のターゲット顧客絞込みの判断材料として使われることが多い分析です。また、最近ではＲＦＭセルコード分析という手法が注目を集めています。これは、ＲＦＭ分析を行う際に、各変数を5段階に標準設定するアプローチであり、recencyであれば、過去~10日を5、~20日を4、~30日を4などと、frequency,monetaryと共に設定します。このアプローチによって顧客グループが１２５のセルへと分類され、顧客分析が簡単になります。

1-5 顧客進化

【ポイント！】顧客は得意先で終わらせるな。自社の支持者、代弁者、パートナーへの進化を目指そう！

顧客進化とは、慶応義塾大学の井関利明教授が発表した、企業が長期的な顧客維持の努力を通じ、一般の顧客が「**得意先**」から「**支持者**」へ、さらに「**代弁者、擁護者**」を経て、最終的に企業の「**パートナー**」へと質的に進化を遂げるプロセスのことです。

一般的に、企業が新規顧客を1件獲得するのに必要とする経費は、既存顧客を維持する経費の約5倍かかると言われ、さらに大半の企業は毎年顧客の25％以上を失っているという指摘もあります。また、多くの企業では、上位20％の顧客で売上全体の70～80％の売上を確保していると言われていることから、ロイヤルティー・売上貢献度の高い顧客は企業

顧客進化

顧客進化の階層

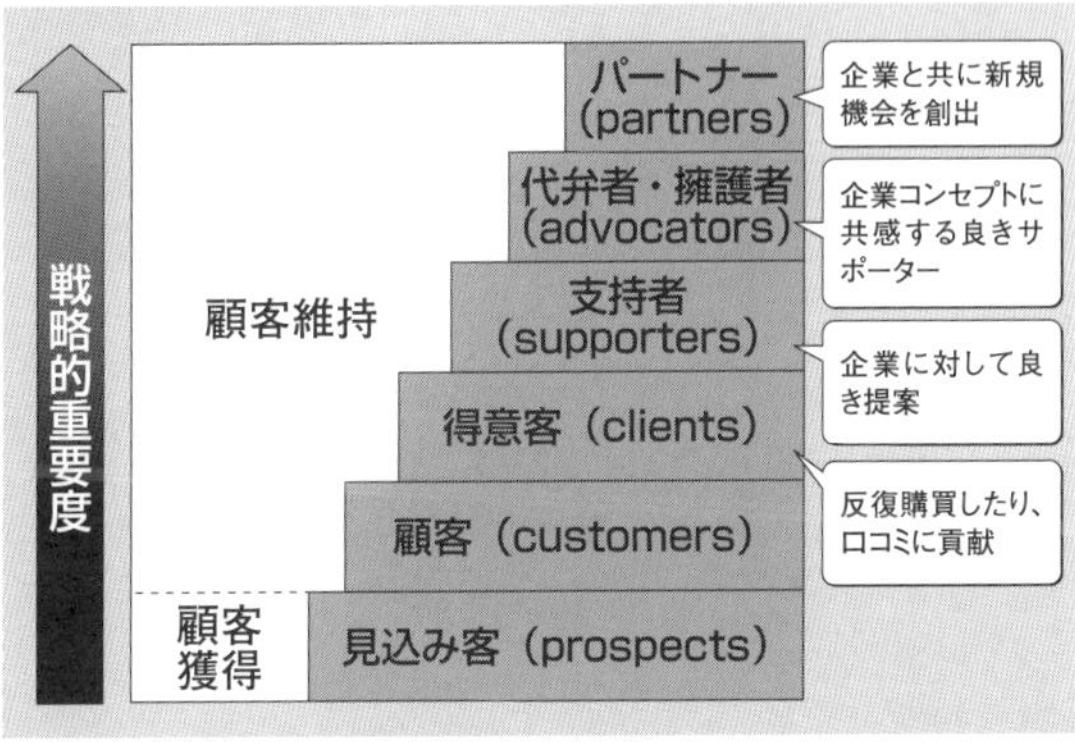

資産の一部であると考えられます。よって、企業はその顧客維持の手法によって、計画的に顧客を企業資産へと「顧客進化」実現できるように努力するのです。

また、顧客進化のプロセスにおいて、ステージが上がるほど、企業にとっての顧客の戦略的な重要度が増すことになります。

これは、ダイアグラムに書かれているように、購買・反復購買などから企業に売上を貢献する顧客から、企業コンセプトに共感し、「口コミ」などで他の見込み客へ製品の存在を広め、後に売上のみでなく既存商品に対するフィードバックや新規事業へとつながるようなアイデアを提案する、戦略的なパートナーへと進化していくからです。

第6章

ネット時代における
マーケティング

1-1 4大マス媒体とインターネット広告

日本の広告市場は2007年をピークに、GDPの減少と比例して縮小が続いています。その一方、成長を続けているのがインターネット広告セグメントです。

いわゆる4大マス媒体（TV、新聞、雑誌、ラジオ）に対し、インターネット広告は景気悪化前の2006年の段階で第3位の雑誌広告をすでに抜きました。不況真っ只中の2010年には第2位の新聞広告も抜き、現在では堂々第2位の位置まで急拡大しています。

次に、インターネット広告の内訳について掘り下げてみましょう。

これまでの枠売り広告も「情報・通信」などの主力業種を中心にシェア拡大をしていますが、特に検索連動広告を中心にアドテクノロジーを活用した広告手法としての「運用型広告」セグメントが2ケタ成長を続けており、今後も高い成長が期待されます。

その理由として挙げられるのは、スマートフォンの普及です。検索連動広告のみならず、

媒体別広告費の推移

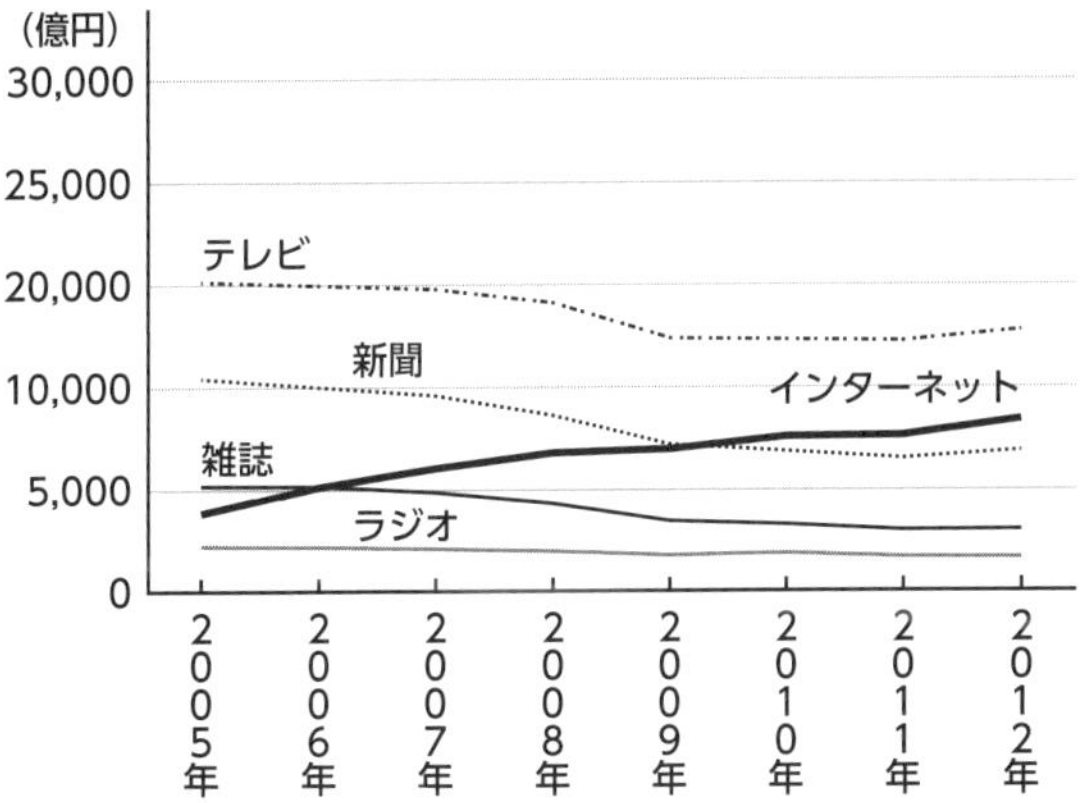

（出所）電通

RTB（リアルタイム入札）によるターゲティング効果の高い広告出稿方法の出現などが、より効果が見えやすく使いやすい広告手法として認知されるようになりました。

ただ、その多くは媒体を束ねたアドネットワークと呼ばれる広告媒体中に任意に出稿されるケースが多く、効果が認められるまでは成長しつつも低い単価が続く可能性が高いと思われます。

広告を活用する側としては、「広告目的（認知・想起などのブランディングか、資料請求や会員登録、販売などの販促用か）」と「その費用対効果」を継続的に測定しながら、インターネット広告も含め、限りある広告費用を分散投資したいものです。

1-2 インターネット時代の広告効果

インターネット広告の特徴は、低コストや即時性、インフラ普及率から来る浸透率や多様性などが挙げられますが、広告主にとっては「効果測定のわかりやすさ」が重要です。

従来の雑誌やテレビでは、ハガキの送付や品物の購入者に対する追跡調査がなければ、広告と購買の間に明確な因果関係を確認することができませんでした。しかし、インターネットの場合、「インプレッション課金」と呼ばれる広告の表示に基づいた課金や、広告に興味を持つユーザーが押す「クリック課金」、アフィリエイト広告などに代表される「成果報酬課金」など、一目で費用対効果を比較検証することができます。

ただし、せっかく効果測定のしやすいインターネット広告も、それ単体で効果を調べるのは全体最適の視点から見ると完全に片手落ちです。限られた貴重なプロモーション費用を使い効果を最大化するためには、同様の目的で使われる他の広告媒体のみならず、ホー

インターネット時代のマーケティング

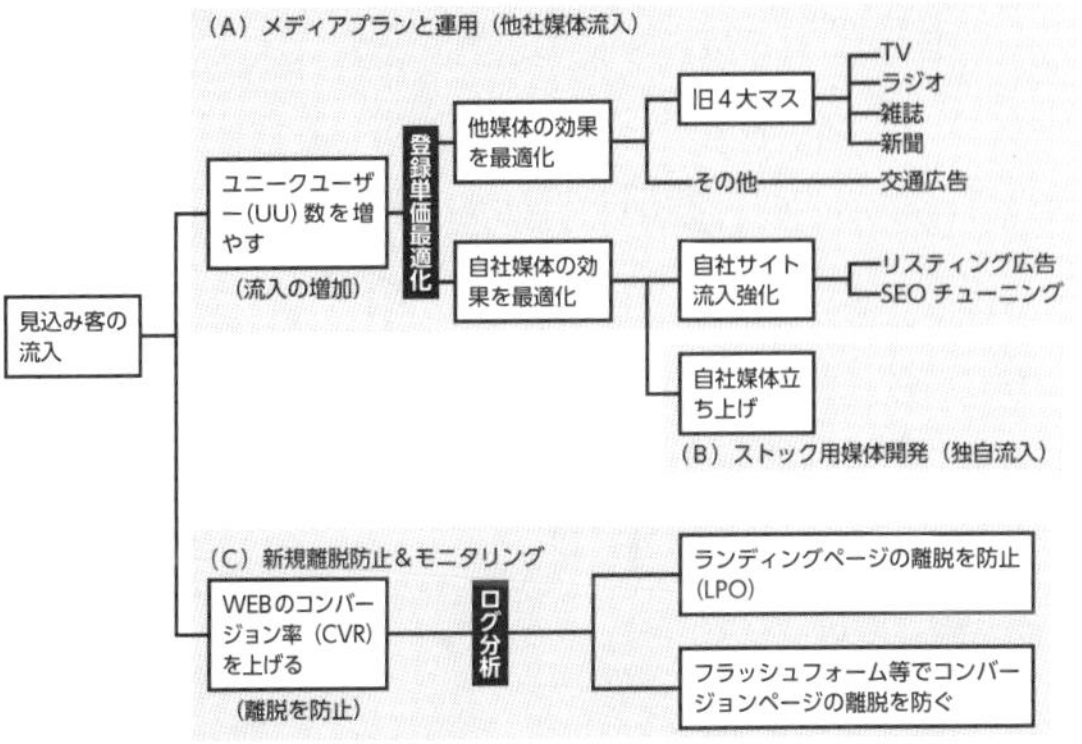

＊コンバージョン：会員登録や資料請求、商品購入等「単なる訪問者から会員や（見込み）顧客への転換を行うこと conversion rate：転換率

ムページなどの自社媒体の改善や、自社独自の専門プロモーション媒体の構築も合わせて効果測定することが重要です。

また、単に広告やサイト訪問者数の流入だけではなく、せっかく流入してきた訪問者が、著しく不便なサイトデザインやわかりにくい導線などにより目的に達する前にサイトから離脱しないよう、分析・改善を図っていくことも流入と同じくらい重要です。

決して「インターネット広告だけを最適化」したり、大きな費用をかけて見込み訪問者を増やしながらすぐにサイトから離脱していくような「穴の開いたホースに水を通す状態」にならないよう、体系的にプロモーションの効果測定も図っていく必要があります。

1-3 マーケットとしてのネット市場

広告としての市場が拡大しているということは、インフラそのものの普及を意味しており、当然ながらマーケットとしてのインターネット市場の急拡大も続いています。

顕著な例がEC小売り市場です。従来と比べ、店舗やその人件費のみならず、仕入れ頻度や配列等に関わるコストを低減しながら製品の種類を広げることができる小売りのEC化によるメリットは、価格と利便性の面で一気に消費者の支持をつかみました。アメリカでは、量販店で品物を確かめたりスマートフォンで価格を調べ、帰宅後ネットで注文するという「ショールーミング」という行動が顕著に見られ、多くの小売り店の収益を圧迫しています。このような動きはB2C市場に限らず、B2B市場においても、インターネットによる市場の質的変化と既存市場への浸食は顕著です。

たとえば、医療従事者に対して医薬品の品質、有効性、安全性などに関する情報の提供、

B2C EC 市場拡大の予想

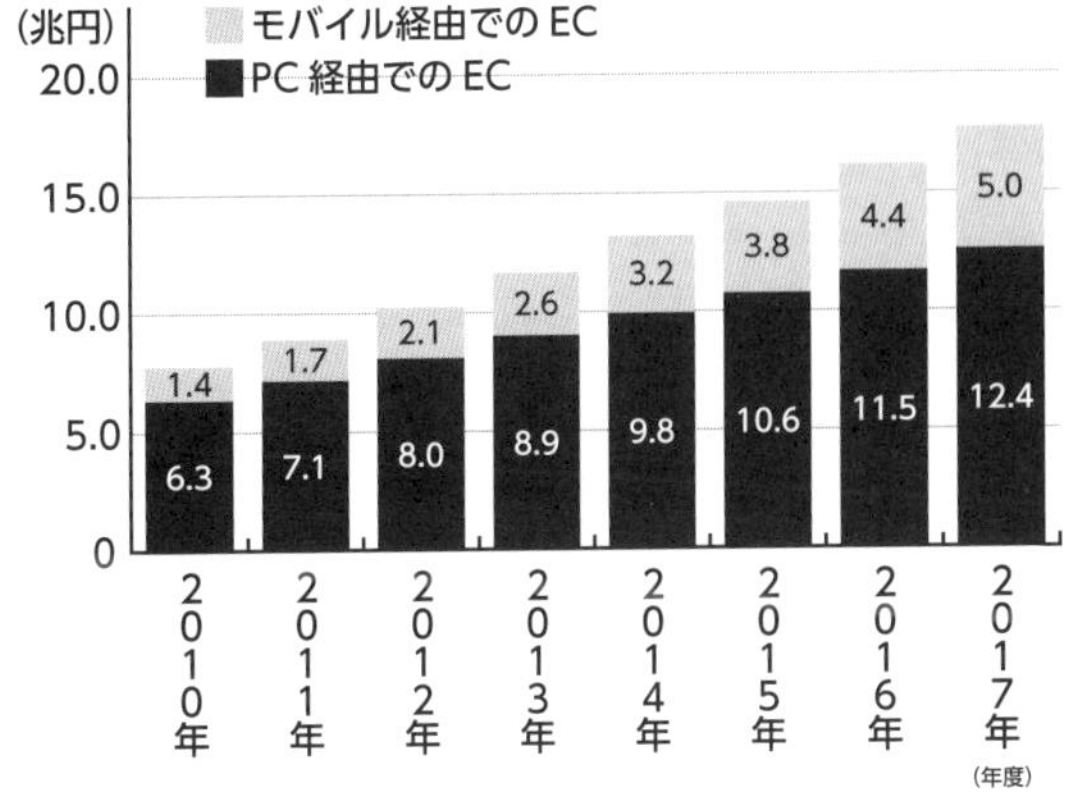

（出所）野村総合研究所

収集、伝達を主な業務として行うＭＲ（medical representative 医薬情報担当者）は、医薬品メーカーにとって最も重要な役割を果たす高価かつ重要な人的資産でしたが、インターネットによるダイレクトな情報提供インフラの構築によって大きく変化しています。

エムスリー（東証一部）は日本国内の医師20万人以上のネットワーク化を実現し、これまでＭＲが担当していた「医師とアポを取る」「医師と会う」「医師に最新の薬剤情報を提供する」「自社の推す薬剤に代えていただく」という一連のステップをほぼネットベースで実現しています。海外主要国の同業企業も複数買収するなど、この分野では数少ない世界のグローバルリーダー企業と言えます。

『マーケテイング・マネジメント(第7版)』プレジデント社、1996年
フィリップ・コトラー著、木村達也訳
『コトラーの戦略的マーケテイング』ダイヤモンド社、2000年
ブルナー、エーカー、フリーマン他著
『MBA講座　経営』日本経済新聞社、1998年
ウォートンビジネススクール、IMD著
『MBA全集1～6、(ゼネラルマネジャーの役割、マーケテイング、アカウンティング、ファイナンス、経営戦略、リーダーシップと倫理)ダイヤモンド社、1998-1999年
青木淳著
『価格と顧客価値のマーケティング戦略』ダイヤモンド社、1999年
浅野照彦、上田隆穂著
『マーケティング&リサーチ通論』講談社、2000年
石井、奥村、加護野、野中著
『経営戦略論(新版)』、有斐閣、1996年
伊丹敬之、加護野忠男著
『ゼミナール経営学入門(改訂版)』日本経済新聞社、1993年
上田拓治著
『マーケティングリサーチの論理と技法』日本評論社、1999年
大滝精一、金井一頼、山田英夫、岩田聡著『経営戦略』有斐閣、1997年
工藤秀幸著『経営の知識』日本経済新聞社、1985年
小林喜一郎著『経営戦略の理論と応用』白桃書房、1999年
嶋口充輝『戦略的マーケテイングの論理』誠文堂新光社、1984年
嶋口充輝、石井淳蔵著『現代マーケティング』[新版]有斐閣、1995年
土井秀生著
『上級MBA講座、グローバル戦略のすべて』日経BP社、1998年
土屋守章著『現代経営学入門』新世社、1994年
野中郁次郎著『経営管理』日本経済新聞社、1996年
松下芳生著『ITコンサルティング』PHP研究所、2000年
松下芳生編、Team MaRIVE著
『マーケティング戦略ハンドブック』PHP研究所、2000年
山田英夫著『デファクト・スタンダードの経営戦略』中公新書、1999年
山根節、山田英夫、根来龍之著
『日経ビジネスで学ぶ経営戦略の考え方』日本経済新聞社、1993年

■参考文献一覧

D.A. アーカー著『戦略市場経営』ダイヤモンド社、1986 年
D.A. アーカー著『ブランド・エクイティ戦略』ダイヤモンド社、1994 年
D.A アーカー、G.S. デイ著
　『マーケティング・リサーチ』白桃書房、1981 年
D. マーフィー著『MBA のマーケティング』日本経済新聞社、1997 年
G. ハメル、C.K. プラハラード著
　『コア・コンピタンス経営』日本経済新聞社、1995 年
J.C. アベグレン、BCG 著
　『ポートフォリオ戦略』プレジデント社、1977 年
J.R. ガルブレイス、D.A. ネサンソン著
　『経営戦略と組織デザイン』白桃書房、1989 年
Kotler, Armstrong，Principles of Marketing，Sixth edition, Prentice-Hal1,1994
M.E ポーター著『競争優位の戦略』ダイヤモンド社、1985 年
M.E ポーター著『新訂　競争の戦略』ダイヤモンド社、1995 年
M.E ポーター著『競争戦略論 I 、II』ダイヤモンド社、1999 年
Michael.E.Porter，Competitive Strategy，Free Press，1980
P.A. アージェンティ著『MBA 速習コース』日本経済新聞社、1997 年
T. レビット著『マーケティングの革新』ダイヤモンド社、1983 年
T. レビット著
『マーケティンゲイマジネーション』ダイヤモンド社、1984 年
イゴール・アンゾフ著
『「戦略経営」の実践原理』ダイヤモンド社、1994 年
グロービス著『MBA マーケティング』ダイヤモンド社、1997 年
グロービス著
『[新版] MBA マネジメント・ブック』ダイヤモンド社、2002 年
ドーン・イアコブッチ編著
『ノースウエスタン大学大学院ケロッグ・スクール　マーケティング戦略論』ダイヤモンド社 2001 年
ドン・ペパーズ、マーサ・ロジャース著
『ONE to ONE 企業戦略』ダイヤモンド社、1997 年
フィリップ・コトラー、ゲイリー・アームストロング著、和田充夫、青井倫一訳
『新版マーケティング原理』ダイヤモンド社、1995 年
フィリップ・コトラー著、小坂恕、疋田聡、三村優美子訳

■監修
青井倫一（あおい・みちかず）
東京大学工学部、同大学院経済学研究科博士課程を経て、ハーバード大学ビジネススクール博士課程修了、同経営学博士。慶応義塾大学ビジネススクール助教授、教授、研究科委員会兼校長、慶応義塾評議員を歴任して2011年慶應義塾大学名誉教授。明治大学専門職大学院グローバル・ビジネス科教授。2016年没。

■編著者
グローバルタスクフォース
事業部マネジャーや管理本部長、取締役や監査役を含む主要ラインマネジメント層の採用代替手段として、常駐チームでの事業拡大・再生を支援する経営コンサルティング会社。2001 年より上場企業の事業拡大・企業再生を実施。上場廃止となった大手インターネット関連企業グループの再生のほか、約 50 のプロジェクトを遂行する実績を持つ。主な著書に「通勤大学 MBA」シリーズ、『ポーター教授「競争の戦略入門」』（以上、総合法令出版）、『わかる！MBA マーケティング』『早わかり IFRS』（以上、PHP 研究所）、『トップ MBA の必読文献』（東洋経済新報社）など約 50 冊がある。世界の主要ビジネススクールが共同で運営する世界最大の公式 MBA 組織 “Global Workplace” 日本支部を兼務。
URL http://www.global-taskforce.net

通勤大学文庫
通勤大学MBA 2
マーケティング〔新版〕

2002年8月8日　初版1刷発行
2013年4月2日　新版1刷発行
2016年10月21日　新版4刷発行

監　修　青井倫一
編著者　グローバルタスクフォース株式会社
装　幀　倉田明典
発行者　野村直克
発行所　総合法令出版株式会社
〒103-0001　東京都中央区日本橋小伝馬町 15-18
ユニゾ小伝馬町ビル9階
電話　03-5623-5121

印刷・製本　祥文社印刷株式会社
ISBN 978-4-86280-345-0

©GLOBAL TASKFORCE K.K. 2013 Printed in Japan
落丁·乱丁本はお取り替えいたします。

総合法令出版ホームページ　http://www.horei.com

向けにそれぞれ以下のサービス提供・啓蒙活動をしています。

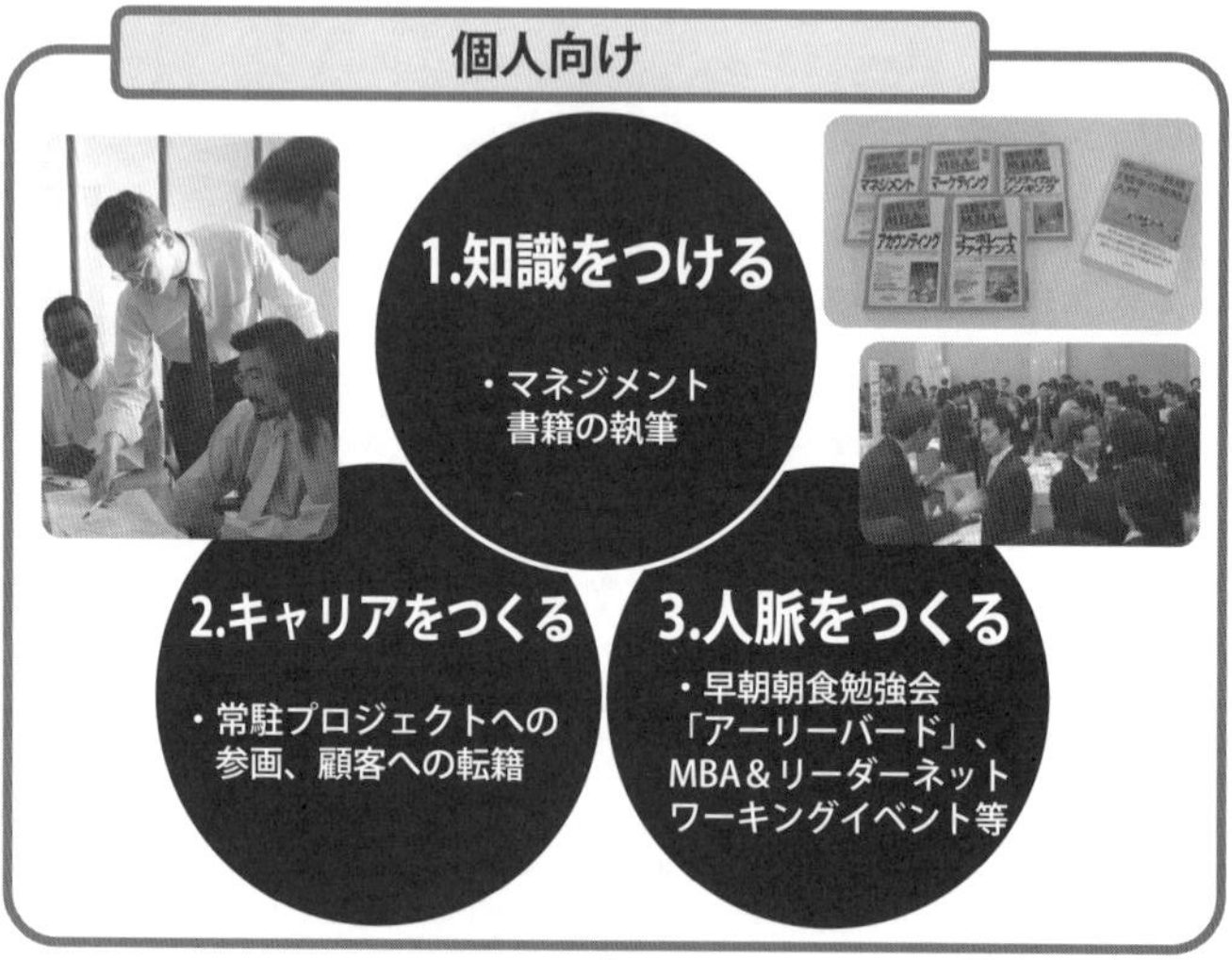

Facebook Page

WWW.facebook.com/gtaskforce

GTF のServices & Information

グローバルタスクフォースは2001年より法人顧客向け、 個人

法人向け

1.　企業再編・成長支援事業

・上場廃止企業再生、伝統的大企業再編等約60
のプロジェクト実績あり。

2.　マネジメント人材サーチ事業

・GTFのコンサルティングはライン（現場）常駐が基本。
採用手段の代替として、6か月後より雇用移行可能。

3.　マネジメント研修事業

・GTFのマネジメント研修（集合・eラーニング）は
現場でそのまま活用する現場カスタマイズが基本

Home Page

WWW.global-taskforce.net

通勤電車で楽しく学べる新書サイズのビジネス書

「通勤大学文庫」シリーズ

通勤大学MBAシリーズ　グローバルタスクフォース=著

◎マネジメント（新版）￥893　◎マーケティング（新版）￥872　◎クリティカルシンキング（新版）￥872　◎アカウンティング￥872　◎コーポレートファイナンス￥872　◎ヒューマンリソース￥872　◎ストラテジー￥872　◎Q&A ケーススタディ￥935　◎経済学￥935　◎ゲーム理論￥935　◎MOT テクノロジーマネジメント￥935　◎メンタルマネジメント￥935　◎統計学￥935　◎クリエイティブシンキング￥935　◎ブランディング￥935

通勤大学実践MBAシリーズ　グローバルタスクフォース=著

◎決算書￥935　◎店舗経営￥935　◎事業計画書￥924
◎商品・価格戦略　￥935　◎戦略営業￥935　◎戦略物流　￥935

通勤大学図解PMコース　中嶋秀隆=監修

◎プロジェクトマネジメント 理論編￥935　◎プロジェクトマネジメント 実践編￥935

通勤大学図解法律コース　総合法令出版=編

◎ビジネスマンのための法律知識￥893　◎管理職のための法律知識￥893　◎取締役のための法律知識￥893　◎人事部のための法律知識￥893　◎店長のための法律知識￥893　◎営業部のための法律知識￥893

通勤大学図解会計コース　澤田和明=著

◎財務会計￥935　◎管理会計￥935　◎CF（キャッシュフロー）会計￥935
◎XBRL￥935　◎IFRS￥935

通勤大学基礎コース

◎「話し方」の技術￥918　◎相談の技術 大畠常靖=著￥935
◎学ぶ力 ハイブロー武蔵=著￥903　◎国際派ビジネスマンのマナー講座 ペマ・ギャルポ=著￥1000

通勤大学図解・速習

◎ 孫子の兵法 ハイブロー武蔵=叢小榕= 監修￥830　◎ 新訳 学問のすすめ 福沢諭吉 =著 ハイブロー武蔵=現代語訳・解説￥893　◎ 新訳 武士道 新渡戸稲造=著 ハイブロー武蔵=現代語訳・解説￥840　◎ 松陰の教え ハイブロー武蔵=著￥830　◎論語 礼ノ巻 ハイブロー武蔵=著￥840　◎論語 義ノ巻 ハイブロー武蔵=著￥840　◎論語 仁ノ巻 ハイブロー武蔵=著￥840